D0115038

Petit Traité de toutes vérités sur l'existence

Du même auteur

Collection "Chemins nocturnes" aux Éditions Viviane Hamy
Ceux qui vont mourir te saluent
Debout les morts
L'Homme aux cercles bleus
Un peu plus loin sur ta droite
Sans feu ni lieu
L'Homme à l'envers
Pars vite et reviens tard
Coule la Seine
Sous les vents de Neptune
Dans les bois éternels
Un lieu incertain
L'Armée furieuse

Fred Vargas/Baudoin:
Les Quatre Fleuves

Hors collection
Petit Traité de toutes vérités sur l'existence
Critique de l'anxiété pure

Aux Éditions Librio
Salut et Liberté – *N° 547*
Critique de l'anxiété pure – *N° 958*
Fred Vargas/Baudoin:
Le Marchand d'éponges – *N° 980*

Aux Éditions J'ai lu
Debout les morts – *N° 5482*
Un peu plus loin sur ta droite – *N° 5690*
Ceux qui vont mourir te saluent – *N° 5811*
Sans feu ni lieu – *N° 5996*
L'Homme aux cercles bleus – *N° 6201*
L'Homme à l'envers – *N° 6277*
Coule la Seine – *N° 6994*
Pars vite et reviens tard – *N° 7461*
Sous les vents de Neptune – *N° 8175*
Dans les bois éternels – *N° 9004*
Un lieu incertain – *N° 9392*
L'Armée furieuse – *N° 9842*

Fred Vargas

Petit Traité de toutes vérités sur l'existence

Texte intégral

Si j'inaugure en ce lundi de Pâques 2001 une œuvre d'apparence badine, ce n'est certes pas dans le but de vous faire rire. Je tue l'espoir dans l'œuf, dès l'entrée. Croyez-moi, c'est mieux ainsi.

À vrai dire, j'ambitionnais naguère de livrer au monde un petit recueil d'aphorismes sur le thème de l'existence humaine, et quand je dis « petit », c'est un mot : petit par son volume, certes, mais grand par son contenu, et si excellemment concentré que chaque page eût livré le feu ardent de la Vérité sur l'Existence, c'est-à-dire la Vie, tout bonnement.

J'envisageai par la suite de sacrifier ces aphorismes pour des exposés plus étendus, car l'aphorisme a ceci de contrariant qu'il vous laisse en cale sèche avec votre courte maxime sans vous expliquer le pourquoi du comment des choses. Exercice virtuose donc, mais décevant. J'optai alors pour la forme intermédiaire idéale qu'est le *Petit Traité de Toutes Vérités sur l'Existence*, çà et là ponctué d'aphorismes. Sereinement, j'attendais le moment propice pour composer cette œuvre nourrissante et condensée, accumulant de par le monde les matériaux indispensables à sa confection.

Or il se trouve que ce temps est arrivé, et c'est une excellente nouvelle pour tout le monde.

Quand je dis « petit », c'est un choix, car ne confondons pas la masse et la valeur. Le traité trop copieux n'est qu'une dilution laborieuse de préceptes tâtonnants et trahit l'incompétence de son auteur en la matière, j'ai nommé la Vie. Or les vérités sur l'existence sont des flèches d'or qui visent à la cible en un jet, tout bonnement, et le caractère éminemment petit de l'ouvrage atteste les certitudes de l'auteur, dont l'esprit pénétrant n'a que faire des dilutions. Un véritable bâtisseur de Traité sait les choses et il y va droit, sans regimber. En quelque cent feuillets, l'affaire doit être réglée.

D'autant que par son humble épaisseur, le traité bienfaisant peut tenir dans toutes les poches et se glisser, discret, puissant et délassant, dans la ceinture du pantalon, la manche du sari, la robe du Bédouin. Au moindre doute surgissant inopinément sur l'existence, il est là, à portée de la main reconnaissante. En un prompt regard, le problème se voit résolu. Quelles que soient les circonstances, au bistrot, en bibliothèque, en avion, en pirogue ou sur un banc public, tous lieux propices à l'émergence des questions de vie, vous vous éloignez dans un angle avec votre recueil et, en moins de temps qu'il ne faut pour le lire, vous voilà paré et bien campé sur votre affaire. Car il ne s'agit pas ici de vous fourguer un texte abscons sans queue ni tête qui se déviderait pêle-mêle au gré de la fantaisie de l'auteur. Ce serait là un manque de charité et de bon sens contraire à l'objectif de cet opus : structure, clarté, concision et résolutions, tel doit être un bon traité des vérités de la vie.

Et j'aime mieux vous dire tout de suite que celui-ci sera un traité définitif. Avant lui des broutilles, des tentatives maladroites, des égarements fâcheux. J'en veux pour preuve que nul ne peut se targuer aujourd'hui de détenir des réponses sur les mystères de la vie, et c'est la planète tout entière qui continue de vagabonder de paniques en fourvoiements. Or nous sommes tout de même en 2001, et il serait grand temps de faire quelque chose. On n'a que trop tardé. Que depuis trente mille ans on recule pour mieux sauter, soit, je veux bien l'admettre. Mais un jour advient où trop, c'est trop, et où il est impérieux de saisir le taureau par les cornes. Par cette métaphore j'ai nommé la Vie, et ses mystères. Chaque jour nouveau délivre son lot de questions insolubles et si l'on additionne en mois, en années, concevez la somme d'incertitudes qui nous écrase, imprimant à nos existences cette démarche chancelante faite de millions de bourdes inlassablement répétées. Alors qu'il est si simple, avec un petit traité tout bonnement efficace, de diriger valeureusement nos pas. Alors qu'il est si facile, en quelque cent feuillets, d'apporter un soulagement à nos errances.

L'auteur qui rechignerait à s'en charger serait à mes yeux, je ne le cache pas, un foutu égoïste, préférant picoler avec des copains dans les bars plutôt que de consacrer une petite semaine de son temps à l'allègement des doutes lancinants de l'humanité. Un fieffé salaud, oui. Et il faut croire que les auteurs, triste effet de notre époque individualiste, préfèrent picoler ou barboter dans les eaux chaudes de l'océan Indien plutôt que de se pencher quelques jours sur leurs claviers, ce qui me semble pourtant le minimum dû à nos frères humains dans la mouise.

Car à ce jour il n'existe, à ma connaissance, aucun traité aphoristique réglant définitivement les problèmes de l'existence. Ça se saurait.

Ce qui implique que tous les auteurs picolent et barbotent et cela fait peine pour la profession. Aussi, puisque moi seule semble consciente de la responsabilité qui nous incombe, puisque moi seule, vissée à mon plan de travail, ai le sens de mon devoir, tel le cheval de labour sentant peser sur son garrot le poids moral du collier d'épaule (car oui, on dit « collier d'épaule » pour le cheval et « joug » pour le bœuf, commençons dès maintenant à dégager l'essentiel), puisque moi seule me tiens droite sur le chemin solitaire, alertée par l'incurie de mes confrères et percevant le cri d'alarme étouffé de l'humanité, alors moi seule je prends la route et je vous torche l'essentiel de ce qu'il faut savoir dans la vie pour se démerder parmi les multiples mystères qu'elle s'ingénie à nous jeter à la face.

Aussitôt pensé, aussitôt entrepris, je prends mon bâton de pèlerin et mes bottes et allons-y. Ça tombe bien, c'est Pâques, j'ai quelques jours de disponibles auxquels j'ajouterai en sacrifice quelques soirées et quelques dimanches, par pure bonté, car j'ai la conviction qu'il ne faut pas rechigner à la besogne et que la résolution des mystères de la vie exige bien qu'on y consacre une huitaine, ce n'est pas le bout du monde tout de même. Ensuite de quoi, j'aurai ma conscience pour moi et vous aurez vos vérités pour vous, et ce sera toujours ça de fait qui ne sera plus à faire. Car ainsi que le disait volontiers ma grand-mère, « ce qui est fait n'est plus à faire », mais je ne veux pas vous ennuyer avec mes histoires de famille.

Je ne suis pas de celles en effet qui, sous prétexte d'aphorismes et ne voyant que leur seul confort narcissique, vont vous infliger huit cents feuilles à propos de leur père (ou de leur mère, ça dépend des gens, des fois c'est plus souvent la maman, on y reviendra, soyez-en certains) et de leur village natal. Non, cette littérature ombilicale qui procède d'un fâcheux contresens issu d'une mauvaise lecture de Proust (j'aurai l'occasion de vous reparler de ce point qui fait partie intégrante des mystères de l'existence) n'est pas mon affaire.

Encore qu'il est nécessaire que vous sachiez que, par ma mère, je suis issue d'une très vaste famille de bouseux enracinée dans une fière paroisse de Normandie, dont le caractère microscopique ne doit pas cacher la grandeur, j'ai nommé Villiers-d'Écaudart, 110 votants. Le clocher de son église s'élève majestueusement par-dessus la campagne, dominant l'immensité des prés boueux où fourmillent les vaches, les blés et les betteraves. Non, loin de moi l'idée de vous ennuyer avec mes histoires de famille car ce petit traité vise à l'universalité, dans son sens le plus noble, sans laquelle il ne saurait devenir le guide incomparable qu'il se propose d'être pour tout être humain.

Mais, à trop vouloir ne pas ennuyer le lecteur avec ses soucis de famille, le pli serait vite pris de les occulter. Et là je dis tout de suite « Attention ! » Passer l'éponge sur Villiers-d'Écaudart ne serait pas une bonne manière d'amorcer cette œuvre, ce serait à dire vrai une faute conceptuelle de base. Car les ennuis de famille font partie intégrante des mystères de la vie, c'est peu dire. Il me sera donc parfois indispensable de faire discrètement allusion, entre autres lieux internationaux à portée universelle, à cette fière paroisse qui dresse son antique clocher sur les champs détrempés, où pullulent les vers de terre.

Vers de terre qui composent tout de même 70 % du monde animal, en masse pondérale, êtres humains compris, c'est dire si ça pèse un sacré paquet sur la Terre. Vous me direz aussitôt que cette statistique brutale dévoile une réalité peu ragoûtante. Peut-être, mais c'est la vie, et je préfère vous prévenir tout de suite que ce traité ne va pas y aller par quatre chemins avec la vie. Car c'est la noblesse et la force de tout petit recueil de vérités que de ne pas prendre de gants avec les mystères de l'existence, au lieu de quoi il s'égare et s'embourbe tels les ruisseaux dans les sables scintillants des grèves normandes, mais loin de moi l'idée de vous ennuyer avec la Normandie. J'ai pris cet exemple comme j'aurais pu choisir n'importe quel autre. Et ces vers de terre, loin d'étouffer la planète de leur monstrueuse masse invertébrée, fouissent et refouissent l'humus jusque dans ses profondeurs les plus secrètes, sans même savoir, les pauvres, pourquoi ils fouissent. Alors que nous, nous le savons. Mais je n'écris pas là un recueil pour les vers de terre, donc laissons pour le moment de côté la muette interrogation qui les accompagne durant leur noble vie. Je dis noble car, fouissant de la sorte à l'aveuglette, ils trouent, perforent, taraudent et de la sorte, vous l'aurez compris, ils aèrent la terre, qui n'est absolument pas capable de s'aérer toute seule. C'est peut-être rude à admettre mais c'est ainsi. De la sorte aérant, dans l'ignorance de leur condition d'animalcules, ils libèrent la pousse magique des végétaux, eux-mêmes bouffés par les herbivores eux-mêmes bouffés par les omnivores et les carnivores. Quant à nous, on bouffe tout : les vers de terre, les végétaux, les herbivores, les omnivores (je veux parler du cochon), les carnivores et toute la clique. Oui les carnivores aussi et fut un temps pas si lointain où les Gaulois mangeaient les chiens et je ne veux pas vous embêter en vous parlant des autres peuples, c'est un exemple qui vise à l'internationalité.

Ce concept vital du *Ver de terre*, il faut bien l'avoir en tête, d'autant, je suis désolée d'avoir à le rappeler, que les vers bouffent aussi tous les morts, sans quoi la planète, depuis les centaines de millions d'années qu'on meurt dessus, serait un infâme bourbier (et quand je dis « on », je parle aussi des dinosaures et autres bestioles qui nous ont précédés, en un esprit bien naturel d'osmose avec le genre animal d'où nous procédons, j'y reviendrai). Donc le ver de terre, symbole pour nos esprits étroits de répugnant corpuscule, est en vérité l'essence même de la propreté et de la nourriture pour tous, et du vin aussi, comme du calvados (je dis du calvados comme je dirais du saké ou de la vodka, c'est un exemple). Comme quoi on peut toujours se tromper, et les apparences ne sont pas la vérité, et c'est là une chose essentielle que je tenais à poser d'entrée sur les mystères de la vie dans un esprit d'ordre et de méthode.

Pour ces raisons, ce recueil à portée universelle ne pourra pas se permettre de faire l'impasse sur la fière paroisse de Villiers-d'Écaudart, paradis des vers de terre et partie intégrante de la planète, en même temps que symbolique des soucis de famille, encore que je ne souhaite pas vous ennuyer avec ça. Sachez tout de même qu'à l'heure où je vous entretiens, la vieille ferme familiale toute faite de ces humbles matériaux de bouseux que sont l'argile, les planches et la paille, prend l'eau par son pignon ouest et aussi par son pignon est, et ce n'est pas sans me causer quelques soucis. J'ai appelé le maçon le 10 avril et, chose curieuse, il est venu. De cette question assez taraudante du maçon qui vient ou ne vient pas, je parlerai, mais ultérieurement, car ce recueil a d'abord le mérite de la structure et de la logique, assorties d'une vérification continuelle des faits avancés, sans quoi toute entreprise philosophique ne saurait aller bien loin.

Et, afin de valider cette structure et de lancer ce court traité sur la voie de l'universalité, je me vois dans l'obligation de le débuter en vous parlant de moi.

Car en effet qui suis-je, peut-on penser, pour proposer cette petite somme de vérités? Au nom de quoi y suis-je autorisée? Et en quoi ce que je vais avancer avec fermeté sur ce sujet de l'existence et, je préfère vous le dire tout de suite, sans y aller par quatre chemins, peut-il être tenu pour certain? Car c'est la moindre des choses que le lecteur puisse avoir une confiance aveugle en la véracité des propos du traité, glissé dans sa ceinture, qu'il puisse s'y fier les yeux fermés, qu'il puisse être assuré d'y trouver des révélations toutes plus valides les unes que les autres. C'est donc par pur souci de cohérence que je suis contrainte d'évoquer ma personne et ma vie, ne croyez pas que cela m'amuse.

Si je puis vous tranquilliser sur la foi que vous pouvez avoir en ma parole, c'est tout d'abord que je n'ai absolument rien picolé depuis au moins vingt jours, mais alors ce qui s'appelle rien, ce qui me place de fait dans une position de supériorité nette par rapport à nombre de mes collègues qui, à ce que je sache, n'ont toujours pas commencé leur traité, qui est pourtant à rendre pour le 22 avril.

C'est, secondairement, que j'ai là quelques jours à perdre (mais perdre du temps, c'est en gagner, et j'y reviendrai), que j'ai achevé de régler ce matin mes courriers en souffrance, ce qui me garantit une exceptionnelle capacité de concentration tout entière dévouée à cette œuvre.

C'est, tertio, que j'eus la bonne fortune de plonger mes racines dans cette fière petite paroisse qui domine de son haut les labours inondés, et c'est donc dès mon plus jeune âge que j'appris à manipuler le concept clarifiant dit « du ver de terre », selon lequel l'apparence de la chose n'est pas la chose en soi. On en reparlera à l'occasion. C'est ainsi que, très précocement, je connus la nécessité d'aller visiter l'envers des formes et je rapportai de ces explorations les fruits nombreux de la connaissance.

C'est quarto que, par le fait d'un aimable tempérament, j'eus la bonne fortune de me lier très tôt avec une foule considérable de mes semblables, qui me permit de me livrer à nombre d'observations sur l'homme, les mystères qu'il rencontre, les solutions bancales qu'il y apporte, et d'en extraire quantité de calculs de covariance qui devaient me mener en droite ligne à la rigueur de ce traité.

Cinquo, à cette inestimable pratique de l'être humain, j'ajoutai une vaste connaissance du monde, voyageant sans relâche depuis que je pris mon envol. Mes innombrables allers et retours entre Paris et Villiers-d'Écaudart m'enrichirent plus que de raison. Je poussai également de fréquentes pointes jusqu'à Bernay, Condé-sur-Noireau, Pondouilly et, sans négliger la direction sud, vers Vierzon, Tours, Toulouse et parfois jusqu'à Nice, c'est dire que le monde méditerranéen ne m'est pas non plus étranger, bien que la betterave n'y soit guère à son aise. Comme quoi, *À tout sol, ses produits* (et j'y reviendrai). De là, emportée par mon élan, je sautai par-dessus les Alpes et y gagnai une connaissance ponctuelle de la péninsule italique. Je ne répugnai point non plus à filer comme le vent vers l'Est, atteignis Mulhouse et traversai quelques fois la frontière germano-française pour me poser en terre étrangère, à un jet de pierre du fleuve majestueux, j'ai nommé le Rhin. Je poussai la témérité jusqu'à jeter un œil aux fabuleuses sources du Danube, terriblement désappointantes. Vers le Nord, je grimpai sans me décourager jusqu'à la Belgique, où je m'accrochai vaillamment trois jours et, sur mon erre, je visitai Amsterdam en coup de vent, dont je ne garde qu'un vacillant souvenir.

Mais mes regards incessamment se tournaient vers la mer et le Grand Ouest, en digne héritière des fiers Vikings qui poussèrent au plus haut l'art de foutre un effroyable bordel chez leurs voisins placides. Aussi c'est maintes et maintes fois que l'aventure guida mes pas jusqu'à Quimper et ses proches environs. Enfin n'y tenant plus, je m'envolai, paniquée, vers New York, la ville-lumière, où la Statue de la Liberté décida pour toujours de ma vocation de penseur universel. J'y passai une semaine et n'y revins plus.

C'est dire si d'aventure en épopée j'acquis une expérience de terrain irremplaçable et que beaucoup m'envient. Adjointe à celle conquise dans l'immense univers de Villiers-d'Écaudart, elle forme le socle d'acier de l'entreprise que je mène aujourd'hui.

Ces seuls éléments devraient suffire, et amplement, à chasser tout doute de vos esprits. L'auteur connaît la vie. Mais force m'est d'ajouter que j'eus la bonne fortune de naître avec un caractère d'une trempe exceptionnelle, forgée au même métal que les épées de mes ancêtres, j'ai nommé les fouteurs de merde, les Vikings. Rien ne m'arrête, rien ne m'effraie, hormis, et c'est humaine nature, les objets déconcertants que sont pour tout un chacun les chiens, les vaches, les skis, l'avion, les papillons de nuit, la montagne, la mer et autres vétilles. De par ce caractère peu commun, j'ai la bonne fortune d'allier l'esprit des Lettres avec l'esprit des Sciences, qui seront ici hautement profitables, l'esprit de rangement des placards et d'essuyage des miettes, de rares capacités de perception de l'âme humaine, que je lis tel un livre ouvert, que cette âme soit bantoue ou de Villiers-d'Écaudart, secondées par des facultés de mémorisation hors normes. Ajoutez à cela un caractère plaisant, disert et ouvert à l'écoute de tous, encore que prompt à de justes emportements face à mes contradicteurs. Sans oublier un contrôle parfait des sentiments et de la parole, une constance tranquille devant l'adversité, un sens pragmatique poussé m'ayant apporté une utile connaissance des travaux des champs, labours, semailles, moissonneuses-batteuses et arrachage des betteraves, un esprit avide de logique, une tempérance et une volonté rares, une force de travail inusitée, un pouvoir de méditation et d'abstraction au-delà de la moyenne.

Il faut signaler que l'âme humaine, qu'elle soit bantoue ou de la ferme Desmonchel (Villiers-d'Écaudart, Haute-Normandie), est la même partout, j'espère que tout le monde le sait, cela nous économisera beaucoup de temps et l'économie d'énergie, on le verra, est le maître mot de ce recueil. Mes nombreux périples et pérégrinations étaient sans doute nécessaires à la confirmation de mes connaissances, car tout ici se veut fondé sur l'absolue vérité, mais il va sans dire que la simple observation de la vie trépidante qui agite le plateau d'Écaudart et l'avenue du Général-Leclerc (Paris, 14e ardt) suffirait en soi à nourrir cet opus de portée planétaire.

Soit dit en passant (mais ne vous alarmez pas, je garde un œil sur la structure de l'œuvre), il y a quelque chose d'un peu agaçant à sans cesse m'adresser à ce « vous » anonyme. Ces « pensez-vous » et « sachez bien que » commencent à vous énerver, et moi aussi. Il y a dans ces formulations systématiques quelque chose d'à la fois docte, formel et désincarné qui finit par chauffer sérieusement les oreilles. Or un recueil de vérités doit bien se garder de chauffer les oreilles de son lecteur, et de son auteur. Il adviendra donc que je tutoie le lecteur, par réflexe de sympathie naturelle, voire que je m'adresse spontanément à « mon petit gars » ou à « ma sœur », toutes expressions familières qui donnent un peu de corps au texte. Par ces locutions, qu'on ne se choque pas. Ces tournures aimables sont l'expression même de la manière dont je fais spontanément corps avec l'humanité. Il va sans dire, et c'est bien normal, que « mon petit gars », « mon garçon », ou « mon grand » s'adressent plus spécifiquement à mon fils, et « ma sœur » à ma sœur, et « maman » à maman, car il est de mon devoir que je me tourne prioritairement vers eux pour leur donner quelques conseils de vie très attendus, encore que ma mère, qui possède son génie propre, n'en ait guère besoin, les questions de vie ne lui ayant jamais gâché la vie, et on est placé là devant un cas unique au monde. Il peut m'arriver aussi de parler à mon frère, à mes trois neveux, et à ma mère aussi, mais je ne veux pas vous ennuyer avec mes histoires de famille. Que ces locutions débridées ne fassent en aucun cas oublier la portée universelle de ce traité.

À ce propos et soit dit en passant, mais que nul ne s'inquiète, je ne perds pas mon fil conducteur, ma sœur jumelle possède un génie propre qui n'est pas sans me faire pâlir d'envie. À ce titre, elle serait bien à même de vous torcher ce petit recueil de vérités pendant que j'irais baguenauder dans la toundra s'éveillant aux premières lueurs du printemps. C'est bien volontiers que je lui céderais ce clavier. Las, ma sœur a embrassé depuis longtemps la profession d'artiste peintre, ce qui ne va pas sans un fâcheux relâchement des structures. Or un traité, comme je l'exprimais plus haut, et on voit donc que je garde un œil fermement fixé sur mon fil de trame, doit s'appuyer sur une construction sans faille. Pas de structure, pas de traité. Les digressions, les méandres, les bavardages insignes propres aux écrivains aussi talentueux qu'inutiles à l'humanité sont la mort du recueil de vérités. Charpenter, ordonner, croiser sans mollir le fil de chaîne et le fil de trame, c'est le secret du recueil efficace. Or à l'heure où je vous parle, c'est-à-dire tard dans la nuit car il n'y a nul repos pour le rédacteur d'un traité sur l'existence, ma propre sœur jumelle discourt probablement dans un sien café avec des siens amis et un sien verre. Oui mon petit gars, je parle bien de ta tante. Et à l'heure où je ne vous parle pas, elle s'adonne à la sienne peinture à des horaires qui défient les lois de la société. Oui mon garçon, tu es assez grand pour savoir que les artistes, et je parle aussi de ta tante, mènent des vies qui sont une injure même à la face de la société. Aussi, quelque grand que soit le génie de ma sœur, je crains de ne pouvoir l'atteler à la charrette du devoir aphoristique et d'avoir à porter seule, tel le cheval de labour sous son collier d'épaule, la charge proprement affolante qui est la mienne. Car, et c'est là broutille mineure pour l'auteur d'un traité sur les mystères de l'existence, j'ai quelque tendance à m'affoler lorsque ma sœur n'est pas informée de tous mes faits et gestes. Il s'agit là d'un léger dérangement sans gravité tant il est vrai qu'un appel téléphonique quotidien ne ressort pas à proprement parler de la névrose, mais je ne veux pas vous ennuyer avec mes soucis de famille. Non mon petit gars, ta tante n'a pas appelé à huit heures comme promis et je me demande ce qu'elle peut bien fabriquer.

Soit dit en passant, il est mille fois plus aisé (et quand je dis «mille», j'ai compté, je ne vous sors pas des chiffres au petit bonheur la chance dans ce traité) d'extraire une clef hors de son anneau que de l'y réinsérer, opération qui nécessite vingt-cinq minutes de labeur avec l'aide d'un tournevis d'électricien. De même il est bien plus facile de briser une assiette sur un coup de tête que de la fabriquer. Mélangez bien votre argile et votre dégraissant, formatez l'écuelle au tour, passez au four à cuisson oxydante, sortez, nappez de glaçure émaillante, chauffez doucement, laissez refroidir sur la sole. D'où il ressort qu'*il est bien plus aisé de défaire que de faire* et c'est là une chose sur laquelle on reviendra, j'y compte, je ne perds pas mon fil. Encore que j'aie bien conscience que, de ce traité de vérités sur l'existence, beaucoup d'entre vous attendent des réponses sur la question fondamentale de l'*Amour*, et comment se démerder pour qu'il ne se casse pas la gueule. Je sais. Faites-moi confiance les yeux fermés. Et on en parlera, et je n'irai pas par quatre chemins, oui mon petit gars, toi aussi tu pourras écouter et prendre de la graine. La question de l'amour, je l'ai sur-étudiée et je dispose de deux mille quatre cent vingt pages (attention, quand je dis 2 420, je ne jette pas un nombre en l'air) de notes et de tableaux avec écarts-types et covariances puisés à tous les confins de l'humanité depuis la Côte d'Ivoire jusqu'à la fière paroisse de Villiers-d'Écaudart (dont il faudra à un moment ou à un autre que je vous touche un mot) en passant par Paris, la ville-lumière et capitale du monde.

C'est dire si le thème de l'amour, qui formera le noyau dur de ce traité, n'a pas de secrets pour moi. Avec ce traité, ce foutu truc de l'amour devient un jeu d'enfant. Je ne m'attarderai pas plus que de raison sur *Comment le rater*, question que tout un chacun a plus ou moins réussi à régler par ses propres moyens, tout rudimentaires soient-ils. En revanche, sur les thèmes infiniment plus laborieux et aux chances de succès improbables que sont, par degré de difficulté, *Comment éviter de le rater*, *Comment être aimé de l'être aimé* et *Comment conserver l'amour*, ce guide vous sera d'un secours inestimable. Je suis la femme de la situation. Mes observations sont là, avec leurs conclusions d'acier, à chaque situation sa réponse, à chaque obstacle son remède. Vous pouvez compter là-dessus, et bien sûr nous en parlerons. Le cas de la clef sur l'anneau, apparemment bien éloigné de celui de l'amour, ne l'est qu'en apparence (qu'on se souvienne du premier précepte sur le ver de terre). Car en amour comme en toute chose, il est bien plus facile de défaire que de faire. Vous constatez que je ne perds pas mon fil et que j'ai l'œil rivé sur la charpente qui ordonne discrètement mais puissamment cet ouvrage. De l'amour donc, je vous en parlerai et vous sortirez de ce livre clef en main et solidement campé(e) sur votre affaire, vous pouvez m'en croire, je ne jette pas des paroles en l'air, j'ai autre chose à foutre qu'à billeveser. Mais, s'agissant de l'amour, ne nous bousculons pas non plus. La bousculade nuit à la structure, chaque chose en son temps. C'est que le sujet ne s'amène pas comme ça, d'un tour de main, non mon garçon, qu'est-ce que tu vas t'imaginer. Non, ta tante n'a toujours pas appelé mais ne t'en fais pas, ça ne va pas tarder. Et soit dit en passant, mais n'ayez aucune crainte je garde l'œil solidement rivé sur mon fil de trame, l'homme de ma vie n'a pas appelé non plus, et ce depuis 47 jours (et quand je dis 47, je n'avance pas un chiffre en l'air), mais il en faut bien plus que cela pour déstabiliser l'auteur de ce traité sur la vie, en même temps que sur l'existence, et les résolutions de ses fascinants mystères.

Non seulement je sais que le lecteur attend de ce petit recueil des réponses efficaces à tous les foutus problèmes que peut poser l'amour, mais aussi que soit abordé ce thème central de la quête de la Vérité de la Vie, j'ai nommé la Philosophie.

Que durant 30000 ans on ait cherché la Vérité en vain, soit, je veux bien l'admettre, je suis bon prince. Mais il arrive un jour où trop, c'est trop, et où je dis « Halte-là ! » Cette vérité sur l'existence humaine, il n'est que trop temps de l'extraire de sa gangue. Il y a peu de jours encore, j'écoutais un mien ami philosophe chercher les éléments vérificatoires de l'énoncé suivant: « Je suis assis. » Las ! Après 7 heures de discours, ce mien ami, qui est pourtant loin d'être un imbécile, n'avait pu réellement établir les notions probatoires dudit énoncé. Cela m'a fait peine, je le reconnais. Et c'est sans doute ce fiasco qui me détermina, entre autres, à m'atteler à mon œuvre. Ces éléments probatoires des vérités de la vie, je vous les confierai, soyez tranquilles. Et comptez sur moi pour vous les extraire à coups de pioche et régler une bonne fois pour toutes cette quête qui n'a que trop traîné, et qui forme le noyau central de cet opus. De là, une fois en possession des véritables vérités de la vie, on filera en droite ligne vers la métaphysique, j'ai nommé le Sens de la Vie, sur la définition duquel on piétine depuis trop longtemps. Socrate déjà, et on voit que je ne parle pas du premier imbécile venu comme vous et moi, Socrate, accablé de questions sans réponses (car l'homme est très fortiche pour se poser des questions mais dès qu'il s'agit d'y répondre, il n'y a plus personne), Socrate déjà n'en pouvait plus. Et on sait comment ça a fini. Ça a mal fini. C'est dire que ça ne remonte pas à hier. Nietzsche a bien essayé, en une louable tentative, de tout défaire pour tout refaire et de suggérer vivement, par la réinvention de la Vie par l'Art, que l'homme se fabrique de ses propres mains son kit personnel du Sens de la Vie aux fins de trouver le bonheur, mais je dis « Halte-là ! » Car ce recueil est de portée universelle or tout le monde ne peut pas être artiste, et d'une. Il ne serait pas égal que d'aucuns, dans leurs coins, se confectionnent un petit sens de la vie personnel sans que les autres puissent en profiter. L'ésotérisme artistique n'est pas à la portée du premier venu. Je n'en veux pour exemple que les tableaux de ma sœur jumelle, qui possèdent un génie propre qui n'est pas sans me faire pâlir d'envie, et qui ne livrent pourtant pas *directement* le sens de la vie, ce serait trop beau. Je ne crois pas trop m'avancer en ajoutant qu'ils ne le lui livrent pas non plus. Je le saurais, car ma sœur me dit tout. En outre la proposition nietzschéenne, que tout le monde n'est pas certain d'avoir bien comprise, concerne uniquement les surhommes qui seront capables de se démerder avec leur kit. Or telle n'est pas ma visée dans ce recueil à portée universelle. C'est l'humanité entière qui doit être éclairée, ni plus ni moins, et j'ai quelque aversion pour les surhommes qui, sitôt coiffés d'une casquette et d'une mitraillette automatique, se mêlent un peu brutalement des affaires des autres alors que personne ne les a sonnés. Et là je dis « non », et sans barguigner. Car ce petit opus se place délibérément dans un esprit de conciliation et de partage pacifique entre tous les êtres de la planète, au sein desquels j'inclus tous les Texans, c'est dire ma bonne volonté. Sans donc dénier à Nietzsche le fait qu'il produisit un gros effort pour tenter de s'en sortir, je dis cessons là ces lectures et penchons-nous sur ce petit traité, petit par son volume, mais grand par son contenu. Grand parce que charpenté, simple, total et universel. Ce Sens de la Vie, je l'expliquerai donc sans tergiverser, et qu'on se fie à moi pour ne pas couper les cheveux en quatre. C'est ainsi que vous vous trouverez bien calé sur votre affaire de vie, qu'il s'agisse de broutilles ou bien du thème central qui en est l'amour sans oublier le nœud crucial de la philosophie.

Pourquoi, objectera-t-on, ce ton un peu léger et bon enfant pour un recueil de vérités sur l'existence ? Et est-ce bien approprié ?

Ne dira-t-on pas qu'un tel traité nécessite plus de recueillement dans la parole ? Voire même de la gravité, puisque c'est là l'humanité qui est en jeu, depuis la Toundra jusqu'au Nefud ? Je ne vous ôte pas la critique de la bouche mais sachez, avant de hausser le ton, que j'avais déjà soupesé la question. C'est donc en pleine connaissance de cause que j'ai adopté ce ton primesautier. On néglige trop par les temps qui courent (et on reviendra sur cette course du temps, proprement vitale pour le truc de l'amour) la haute valeur du ton primesautier, voire légèrement distrayant. Blaise Pascal, qui faillit nous laisser un recueil d'aphorismes, s'égara malencontreusement sur cette pierre d'achoppement qu'est la distraction. Il n'aimait pas ça, pour vous résumer la chose, et ça le regarde. Or si la distraction peut sembler la plus futile des occupations humaines, ce n'est là qu'apparence, et trompeuse, qu'on se souvienne du concept du ver de terre, je tiens mon fil, je ne le lâche pas. Car sans distraction, point n'est possible de faire avaler les aphorismes les plus ardus à l'être humain. L'esprit renâcle, il se cabre devant la difficulté, la paresse survient, engloutissant l'effort, et le livre se voit délaissé. Voyez Nietzsche. Résultat, par l'effet de ce mollissement naturel à l'homme, les œuvres majeures ne sont pas lues. Et c'est dommage, et tout particulièrement pour ce petit recueil dont l'homme a, sans en avoir pleinement conscience encore, le plus pressant besoin. C'est donc une entreprise singulièrement difficile que de faire entrer quelque chose de sérieux et de conséquent dans la tête de l'homme, pour laquelle le tournevis d'électricien qui vous a dépanné pour l'histoire de la clef ne vous sera d'aucune utilité. Non, c'est la Distraction qu'il convient alors d'employer, avec finesse et modération. Distrayez l'homme et les exposés les plus rudes pénétreront sans peine. C'est à quoi je m'applique, avec la constance du cheval de labour sous son collier d'épaule, avançant fièrement sur la route solitaire. Et par ce moyen habile de la distraction, j'applique un précepte que j'emprunte à un mien ami, commandant de gendarmerie de son état et néanmoins futé et bon enfant, comme quoi les apparences sont trompeuses, je suis mon fil. Précepte qui se résume de la sorte : *Petites ruses, gros résultats*. Et ce précepte, je vous conseille d'y porter une grande attention car nous ne manquerons pas d'y revenir au chapitre de ce foutu problème de l'amour, que l'on abordera, sans se bousculer. Trop de hâte nuit.

Je suppose que l'existence du blouson à capuche n'est un mystère pour personne. Je veux parler de ces capuches qui se roulent jusqu'à disparaître dans le col du manteau, ou que l'on peut porter, libres et flottantes, lors des mauvais jours de pluie. Disons pour être très précis, car mon esprit des Sciences me talonne sans relâche, qu'il s'agit d'une capuche capable d'apparaître et de disparaître tel l'escargot dans sa coquille. Bien. Qu'on y prenne garde. Sitôt que le temps sec s'est durablement installé, tout être normalement structuré (et je ne parle pas ici de ma sœur jumelle qui ne possède pas ce genre de capuche pour des motifs esthétiques qui m'échappent) enroule la capuche dans son habitacle. C'est le geste à ne pas faire. Ainsi paré(e), capuche bouclée, vos premiers pas sous le soleil d'avril déclenchent l'averse. Vous ressortez la capuche, et le soleil revient. Vous renfournez la capuche, et la pluie retombe. Ainsi de suite, je ne vous décris pas l'action en temps réel, je condense. D'où il ressort que l'intervention de l'homme sur la capuche a un effet direct sur la variation du climat, et inverse à ses prévisions. Pour ceux qui ne disposeraient pas de capuche, l'expérience est valable avec le parapluie. C'est là un fait établi. L'expérience ne vaut pas pour les êtres humains qui portent constamment un parapluie avec eux, comportement paranormal qui se compte sur les doigts de la main, ni pour ceux qui vivent sans parapluie, comme ma sœur jumelle, mais je ne veux pas vous ennuyer avec mes tracas de famille. Je suis mon fil et mon lecteur voit bien que je l'amène discrètement par ce biais, tout en le distrayant par des exemples simples puisés à la vie de tous les jours, au concept du hasard objectif. Les précautions ou les négligences de l'homme influent objectivement, de manière contraire à sa prédiction, sur le surgissement des événements. Oui mon gars, c'est comme ça. D'où il ressort que ce qu'on a prévu ne se produit pas, et que ce qu'on n'a pas prévu survient. Je parle ici des prédictions faites *à la légère*, effectuées sans méditation préalable, dans cette insouciance et cette feignantise propres à l'homme. Ceci n'est pas sans évoquer le thème central de ce traité, j'ai nommé l'amour, que je n'oublie pas, mais il est inutile et même néfaste de se bousculer. Tout vient à point à qui sait attendre, patience mon garçon. Cette affaire d'incidence de la capuche recoupe par un biais une question de philosophie, et on y viendra en son heure.

Prévoir sans méditer irrite donc le ciel et provoque des effets inverses à ceux qu'on avait attendus. C'est là la punition infligée à la désinvolture de ceux qui s'imaginent acquérir une certitude en l'espace de deux jours de temps sec. Car la certitude ne s'acquiert pas en trois coups de cuiller à pot, n'allez surtout pas croire cela. La certitude s'acquiert en lisant ce recueil. Moi qui ai inlassablement sillonné le monde de la Belgique à Toulouse, je peux bien vous confier que seules des dizaines d'années d'études sur des milliers d'individus autorisent à dresser l'édifice de la certitude au fil à plomb, édifice qu'aujourd'hui, pendant que ma propre sœur baguenaude de café en café dans la ville-lumière, oui mon garçon, je peux vous livrer tout à trac. Aussi, en un premier temps, et à moins d'une expérience peu commune, le mieux est de vous débarrasser de cette foutue capuche dont le maniement inexpérimenté peut déclencher les foudres du ciel et de vous en remettre sagement à ce traité, les yeux fermés. Oui, puisque j'ai déjà fait tout le boulot, il est inutile que quelqu'un d'autre se le cogne, car l'économie d'énergie est maître d'œuvre de la vie, j'y reviendrai, compte là-dessus mon garçon.

Pour rester dans la droite ligne de cette démonstration traitant de l'effet de nos actes sur l'avènement des choses de la vie, je signale que, si la prédiction hâtive est souvent punie, l'*attente forcenée* l'est tout autant. Là où l'être humain se figure, avec son âme bon enfant, que scruter l'avenir va déclencher l'avenir, laissez-moi vous dire tout de suite qu'il se goure, et je n'y vais pas par quatre chemins. Ainsi en va-t-il du bus, et je prends là un exemple de portée internationale. On peut remplacer le bus par la ligne de métro n° 4 afin d'étendre l'universalité du propos, c'est équivalent. Après quatre minutes d'attente, temps de patience maximale que peut endurer un humain normalement structuré quel que soit l'événement espéré (et je ne parle pas là de ma sœur qui est un cas tout particulier car elle aime attendre et ne souhaite pas que l'événement survienne, oui mon gars, c'est comme ça, c'est ta tante, mais je ne veux pas vous ennuyer avec mes soucis de famille), après quatre minutes d'attente stérile, le voyageur scrute avec une ferveur muette la rue, le boulevard, les rails, la piste, dans l'espoir de voir apparaître le véhicule. Il scrute, et par ce surcroît de surveillance opéré sur le réel, il compte bien déclencher la survenue de l'événement.

C'est là une fatale erreur. Plus vous scrutez, et plus le bus (le métro, la pirogue, le bateau-vapeur) renâcle. Un excès de scrutation peut même entraîner une immobilisation complète du trafic. Et pourquoi? Parce que scruter c'est surveiller, surveiller c'est attendre, attendre c'est se soumettre, et se soumettre c'est se diluer dans l'esclavage, parfaitement mon garçon. Et sache bien que ni le bus, ni la pirogue, ni le train à vapeur n'aime à répondre à la supplique d'un être dont il devient subitement le responsable du bonheur. Il tourne bride et c'est son droit absolu. Obéir, venir se ranger à l'arrêt, c'est pour le bus prendre le risque majeur d'aliéner sa liberté dans la prière qui pèse sur son collier d'épaule. L'attente servile du voyageur peut déclencher par effet retour l'esclavage du bus lui-même. D'où il ressort que le principe de l'attente détermine le blocage instantané du véhicule par réflexe naturel de survie. En revanche fermez les yeux, agissez avec désinvolture, et le bus viendra.

Attention, je vous mets en garde car le bus est loin d'être un con, autant le savoir d'entrée de jeu: la *fausse désinvolture*, tentante, est aussitôt décryptée comme une *véritable attente* et ne fonctionne pas. D'où l'adage: *Ruses minables, résultats piteux*. Il ne s'agit donc pas de feindre la désinvolture mais d'opérer, au cours de cette attente, un exercice de méditation intense qui vous mettra sur la voie de l'authentique désinvolture. Grâce à cette astuce extraite d'années de pratique, vous tenez là le moyen le plus sûr de vous transporter sans souci majeur.

Cet exemple n'est pas sans évoquer notre thème central de l'amour, comme de la philosophie, que j'aborderai l'un et l'autre mais il est inutile de se presser, chaque chose en son temps. Faites-moi penser à vous entretenir des fourmis, qui n'ont rien de commun avec les vers de terre et qui constituent un thème assez obsessionnel parmi mes diverses études, sans nullement toucher à la névrose, qu'on se rassure. Ce *Principe de l'attente*, que j'ai traité avec le cas universel du bus, s'applique à toutes choses de la vie sans exception aucune. Oui mon garçon c'est la vérité, tu peux me croire, maman connaît la vie et pas qu'un peu. Il s'applique aux feux verts, aux feux rouges, à l'ouverture des magasins, au passage du facteur, au coup de téléphone, à l'auto-stop, à la pousse des plantes, à l'arrivée de l'orage, au fonctionnement de l'ordinateur, à la sonnerie de l'angélus, à la pause-goûter, au déclenchement de la mousson, aux crues du Nil, au lever du jour et tutti quanti, tous événements irrémédiablement bloqués par le principe de l'attente. Attente dans le sein de laquelle se love la pernicieuse *impatience*, susceptible de déclencher par le même phénomène démultiplié des catastrophes d'ampleur mondiale ou personnelle. Non mon grand, ta tante n'a toujours pas téléphoné, je me demande ce qu'elle fabrique. Partant, le principe du blocage du bus s'applique également à l'être humain et par là, nous touchons du doigt le thème central de ce traité, j'ai nommé l'amour, mais ne nous précipitons pas, la bousculade nuit à la charpente que, soit dit en passant, je ne quitte pas une seconde de l'œil.

Je pourrais, puisque nous en sommes là, dans cette portée universelle qui nous entraîne dans son flot, vous entretenir une minute de mon frère qui est un modèle de fougue dispendieuse mais purement formelle et dénuée d'impatience, ce qui en fait un cas tout à fait à part, dans le sens où mon frère est ce genre de type qui vocifère durant les dix minutes d'attente de la pirogue mais qui, emporté par cette fièvre, ne perçoit pas l'instant où la pirogue fait irruption dans la réalité. D'où il ressort qu'il existe des fougues dont l'objet même n'est pas l'attente de l'événement mais l'entretien de la fougue elle-même, en tant que principe de vie. Vous en décrire les résultats concrets dans l'existence vous étonnerait sûrement mais je ne veux pas m'appesantir sur mes ennuis de famille. Mon frère, à l'instar de ma sœur, possède un génie propre qui est loin d'être négligeable, d'où il ressort que l'on tient là une portée d'enfants exceptionnelle, dignes héritiers de cette ethnie de fouteurs de merde, j'ai nommé les Vikings. J'aurais pu, les yeux fermés, lui confier la rédaction de ce petit opus sur les mystères de l'existence et m'en aller musarder parmi les blés de la toundra pakistanaise, une fois n'est pas coutume. Mais las ! Par le fait même de cette fougue qui l'habite sans répit et qui fait sa grandeur et son emmerdement, mon aîné ne peut trouver le temps de poser droitement son cul sur un banc sans éprouver aussitôt le besoin de commenter la chose avec une exaltation hors de propos. Or si cette ferveur le propulse vers de hauts sommets d'activité bouillonnante de sève virile, elle nuit considérablement à l'élaboration d'une charpente lourdement méditée, le cul sur un banc, que nécessite un recueil de vérités sur l'existence. Oui mon garçon, car tel est ton oncle, je ne te le cacherai pas, mais je ne veux pas vous lasser avec mes tracas familiaux. Aussi, bien que solidement épaulée par le soutien moral sur lequel ma fratrie ne lésine pas, me voilà, seule sur la route solitaire, attelée à ma tâche tel le cheval d'épaule à son collier de labour, avançant avec fermeté sur la voie du devoir. Encore que mon frère et ma sœur soient tous deux fortement pénétrés par le sens du devoir, ayant été élevés tout comme moi par maman, selon qui un travail à rendre doit être rendu, une chance à saisir doit être saisie, et qu'il convient d'être à pied d'œuvre jusqu'à 37,5° de température. Au-delà, un certain relâchement est consenti à titre provisoire. Je pourrais longuement vous parler de maman, de son génie propre et de la portée universelle de son impeccable maîtrise de l'attente, mais je ne veux pas vous tourmenter avec mes soucis de famille.

Faites-moi penser, s'il vous plaît, à vous dire un mot des fourmis mais ça n'a rien à voir avec ma mère ou mon frère ou ma sœur, et ne croyez pas que je perds mon fil sur lequel j'ai l'œil totalement rivé. Charpente, structure, expérience et patience sont les mamelles d'un recueil de vérités digne de ce nom. Et croyez-moi, je ne vais pas couper les cheveux en quatre. Là où la vérité commande, la pusillanimité s'écrase, d'autant que je n'ai pas trop de temps, sept jours à présent, et que ce n'est pas le moment de barguigner.

J'embraye directement sur mon sujet, bien que je n'aie pas fermé l'œil de la nuit, devoir oblige, traînant mon collier sous mon épaule au long du chemin solitaire. Quand je parle de sept jours de boulot, il est bien entendu qu'il s'agit des jours *et* des nuits, et je ne m'accorderai quelque repos que lorsque cet opus sera achevé. N'allez pas vous imaginer que cette privation volontaire de sommeil va émousser en quoi que ce soit l'acuité de mes réflexions et m'entraîner à mon insu sur la voie catastrophique du délire verbal et de l'égarement conceptuel, issus de l'intoxication insomniaque, tel l'homme qui s'empoisonne dans le désert en avalant sa propre pisse. Non. Pas de ça chez moi. Je tiens mon insu parfaitement à l'œil. Je n'y ai pas grand mérite car j'eus la bonne fortune de naître avec une absence totale d'insu. Il n'y a rien sur cette terre, je peux l'affirmer sans honte, qui ne se fasse sans qu'aussitôt je le contrôle et en maîtrise toute la complexité. L'insu, l'inconscient, la dérive inopinée, l'effet de surprise, tout cela m'est inconnu. D'ailleurs, de même que je n'ai pas d'insu, je n'ai pas d'inconscient, par un hasard peu commun, et de la sorte je ne suis pas dérangée par d'obscures et vagabondes pensées qui viendraient perturber la rigoureuse logique de ma raison. Les réactions spontanées, les actes manqués, les faux pas, les pleurs incontrôlés ne sont pas de mon ressort et c'est cette quiète placidité qui me permet de rédiger cet opus avec sérénité, dans la droite ligne de mon fil que je ne lâche pas de l'œil. C'est donc sur-réveillée que j'embraye sur mon maître sujet, c'est-à-dire le roi des animaux, j'ai nommé le lion, avec l'éléphant, faites-moi penser à vous en toucher un mot à l'occasion.

J'ai eu, vous vous en doutez, au cours d'une vie qui bondit follement d'aventure en trépidation, maintes occasions d'observer le lion, majestueusement étendu dans les herbages détrempés du plateau d'Écaudart (Haute-Normandie). Soit dit en passant, ces longues heures d'observation passées couchée dans la steppe humide des champs de betteraves, je les ai vécues sans craindre ni le froid ni le lion, car la peur m'est inconnue. Ne tentez l'expérience que si vous êtes doté vous-même d'un courage d'acier et n'oubliez pas de vous installer contre le vent, petite ruse, gros résultats, afin que le lion ne perçoive pas l'odeur proprement écœurante de l'homme. Car pour un lion, l'homme pue, oui mon petit gars. Toi tu ne sens rien, tu trouves que ta mère sent bon, et même ta tante qui sent la térébenthine et ton oncle qui sent la sueur de sa fougue, mais le lion trouve qu'on pue, et pas seulement le lion, tous les animaux de la création aussi (faites-moi songer à vous toucher un mot de cette Création). Comme quoi les apparences olfactives sont parfois trompeuses, rappelez-vous le ver de terre, c'est essentiel. Dans le même ordre d'idées, le cheval ou le chien ne voit pas les mêmes couleurs que nous, ni les mêmes perspectives, et que dire du lézard, ou d'un mien ami daltonien dont l'état visuel est à mi-chemin entre celui du cheval et du chien. Cette question de la relativité de toutes choses peut sembler proprement affolante. Car c'est la vérité même du monde qui est en jeu, ni plus ni moins. Si le Rouge diffère selon l'œil qui le voit, qu'est-ce que le Rouge ? Où est la vérité et y a-t-il une vérité ? On touche là du doigt notre thème central de la philosophie. Pas d'inquiétude, j'ai la vérité, et je vais vous la livrer dans un instant sans atermoyer mais sans bousculade non plus. Le lion, car j'ai le regard chevillé sur ma structure, ne fout strictement rien de la journée pendant que la lionne, encore mal acquise aux principes de l'égalité, se lève dès l'aube pour aller au boulot, la nuit aussi en heures supplémentaires, fait les courses, prépare la bouffe, s'occupe des petits, toilette, éducation, jeux, apprentissage de la position couchée pour les jeunes mâles et debout pour les jeunes femelles. Il serait injuste cependant de dénier au lion toute forme d'activité. Le lion surveille. Et c'est énorme. D'un œil las et souverain, il guette les environs (mais sans scruter le bus, attention, car le lion est un sage et non un homme) et permet ainsi à la lionne d'aller vaquer à ses menues occupations en toute sécurité. Éventuellement, d'une patte alternativement joueuse ou punitive, il seconde la femelle dans l'éducation des petits, à raison de quatre minutes par jour, soit deux heures et deux minutes par mois en moyenne pondérée. Et c'est énorme. À l'occasion et par pure bonté, pour se dégourdir les jambes aussi et lorsqu'il sera besoin de sa force incomparable, il ira une fois tous les 57 jours prêter main-forte à la lionne lors d'une chasse nocturne. Prenons garde à ne pas prendre le lion pour un con. Loin de lui l'idée de surveiller constamment les environs et de se faire ainsi l'esclave de sa mission virile. Non. La majeure partie du temps, le lion dort. C'est dire que le lion, c'est-à-dire le roi des animaux, je ne suis pas en train de vous parler de n'importe quel bougre comme vous et moi, applique avec une grandeur sans pareille le principe fondamental de l'*Économie d'énergie*. De même l'éléphant qui laisse les filles se démerder avec le boulot et la maison et déplace lentement son ample corps de point d'eau en herbage, et pas plus qu'il n'en faut. Tout au contraire du cerf mâle par exemple, ou de bien d'autres bestioles qui, n'étant pas rois, ne sont pas pénétrées de ce principe vital d'économie d'énergie et passent l'essentiel de leur temps, soit à s'affoler au moindre bruit (on reparlera de l'affolement qui, personnellement, m'est étranger), soit à se battre jour et nuit avec leurs congénères. La vie du cerf, dans son absurdité crasse, est affligeante. Au faîte de cet édifice navrant règnent les singes (pongidés, hylobatidés, cercopithécidés, mais je ne veux pas vous ennuyer avec mes histoires de famille) qui poussent l'art de l'agitation stérile et de la bagarre à des sommets que seul l'homme, on l'a compris, peut dépasser aisément. Je ferai ici une exception pour un orang-outang mâle que j'eus la bonne fortune de pouvoir observer longuement, sans crainte du froid ni du danger, et qui posé sur son cul pendant vingt-quatre heures, s'occupa exclusivement avec des gestes fort lents à coiffer sa tête d'une salade, à l'en ôter, à s'en coiffer, à l'en ôter. Ce singe hors du commun, utopiste, anarchiste et méprisant les bagarres sauvages qui se livraient dans son dos, présentait toutes les marques d'un esprit contrôlé en proie à la méditation sur les mystères de vie. Au vu du grand nombre de nos points communs, nous devînmes rapidement amis et on ne néglige pas à l'occasion d'aller boire un verre au café du coin. Je me dois ici de reconnaître que son esprit pénétrant me fut d'un vif secours et que, sans lui peut-être, ce recueil ne serait pas ce qu'il est.

Cette affaire d'économie d'énergie qui est la clef de toute vie bien pensée et bien menée est décisive. On voit que par ces exemples simples tirés de l'observation du monde animal, il est aisé d'en arriver en droite ligne à l'homme et aux mystères de son existence. À l'homme qui gaspille son énergie à tous vents sans se soucier des conséquences et qui, là où il lui faudrait en disposer, s'en trouve alors démuni. Cela fait peine, bien sûr. Cette gabegie s'observe dans les moindres gestes du quotidien et ces faits minuscules ont leur importance (faites-moi penser à vous toucher un mot des fourmis). Face à une porte close, l'homme en secoue le battant dix fois pour s'assurer qu'elle est close. Alors qu'une fois suffit et encore, c'est trop. Si un mur se dresse entre l'homme et son chemin, il se jette contre lui pour l'abattre. C'est inutile. Par ces menus exemples, on tâte directement du doigt le noyau central de cette œuvre, j'ai nommé l'amour, pour la gestion duquel l'homme dépense une somme d'énergie proprement inconcevable, qui le laisse dépourvu de toute capacité à l'instant précis où une minute de méditation serait justement la bienvenue. Las ! Épuisé par ses stériles combats, l'homme accumule au moment crucial bourde sur bourde, telle une bête de somme effondrée sous la charge. Quelles sont ces bourdes et comment les éviter, s'agissant de l'amour ? C'est assez simple. J'y reviendrai, soyez tranquilles, mais il serait ridicule de se précipiter, puisque l'économie d'énergie est le maître mot de ce recueil. Patience et longueur de temps font mieux que force ni que rage.

D'où l'on arrive en droite ligne à ce phénomène majeur de l'humanité, j'ai nommé la Guerre. Oui mon garçon, la guerre, car l'humanité est ainsi faite qu'elle se fait la guerre, tu es assez grand à présent pour connaître ce triste fait. Mais il est grand temps que cela finisse et ne t'inquiète pas, je suis là, et on va y mettre bon ordre sans barguigner. Oui, ta tante a fini par appeler à quatre heures du matin, ne te fais pas de souci.

Prends exemple sur ta mère, sa pondération, sa sereine maîtrise des événements. Non je ne suis pas en train d'écrire un roman policier, je suis attelée, tel le cheval de collier d'épaule, à la rédaction d'un recueil de vérités sur l'existence qui va faire du bruit, crois-moi. Plus tard quand tu seras grand, tu le glisseras dans ta poche revolver et c'est sans cesse que tu y puiseras des bienfaits, évitant les gaffes, les bourdes, les dérapages et les bévues qu'on commet ordinairement, et en particulier en ce qui touche l'amour dont je parlerai, sois tranquille, je ne suis pas femme à me défiler, surtout s'agissant d'une question aussi limpide. De même de la philosophie, devant laquelle je ne reculerai pas, surtout s'agissant d'une question aussi simple. Il y aura un temps «Avant le recueil» et un temps «Après le recueil». Que ta mère en soit l'auteur ne doit pas te fausser sa lecture car c'est en tant que personne anonyme que je le rédige et n'importe qui d'autre aurait pu le faire à ma place, je parle de ta tante ou de ton oncle, ou de quelques rares esprits forts. Mais tous les esprits forts sont en train de barboter dans les lacs vivifiants de la toundra et tu me vois là, seule, tel le bourrin harnaché tirant son poids de merde sur la route du devoir. Car telle est ta mère mon garçon, opiniâtre, calme et résolue, et ne chouinant pas devant la difficulté. Encore que, je l'ai dit, les problèmes que nous avons à résoudre ici ne présentent pas de difficulté majeure (mais faites-moi penser à l'occasion à vous parler des fourmis).

Soit dit en passant, mon fils, qui est doté d'un génie propre hors du commun, aurait fort bien pu se charger à ma place de rédiger cet opus. Las! Son jeune âge m'interdit de lui faire endosser le collier d'épaule et c'est par doses modestes et calculées que j'insuffle peu à peu les fruits de l'expérience dans son esprit avide de connaissances, doté d'un génie propre.

Je ne perds pas mon fil, j'ai l'œil planté dessus, et je te parle, mon gars, sans y aller par quatre chemins, de la Guerre. Cette guerre, ne va pas te figurer qu'elle n'existe que dans les grands événements que relatent tes livres d'histoire. Non mon garçon, non. La guerre ne s'inscrit pas entre deux dates, trois fois hélas. Elle est constante, partout présente, dans les rues, les boutiques, les cours de maternelle, les amphithéâtres, les immeubles, la toundra mauritanienne, sans parler de celle qui se livre âprement au jour le jour entre la commune de Rouge-Mare et la fière paroisse de Villiers-d'Écaudart. Las, la guerre est la menue monnaie des rapports humains et elle absorbe au bas mot 81 % de l'énergie de chacun, les 19 % restants se distribuant entre l'amour (65 %, qui n'est pas sans croiser largement le thème de la guerre à ses heures et on y reviendra), la bouffe (6 %), le labeur (1 %), la boisson (76 %) et quelques menues fonctions vitales de mouvement et d'excrétion (1 %). Considère bien ces chiffres et sache que je ne les balance pas à la face du monde sans les avoir longuement pesés. D'où vient la guerre ? Tu me demandes une réponse, c'est bien normal, et tu vas l'avoir car ta mère tient toujours ses promesses, tu peux te fier à cela comme à un chêne centenaire. La guerre provient, et accroche-toi bien mon garçon avec ton génie propre, de la nécessité pour l'être humain de se définir, c'est-à-dire de savoir *qui il est*, comment il s'appelle, quelles peuvent bien être ses idées propres et ses capacités, et enfin s'il existe. Jusqu'ici tout va bien, on suit. Las, mon petit gars ! L'être humain, de par sa déficience méditative qui fait le tragique de sa condition, est incapable de se définir tout seul comme un grand, de même que l'humus est incapable de s'aérer sans les vers de terre. Tu me diras, qu'il se serve des miroirs que lui renvoient ses amis, ses parents, son papa et sa maman. Je reconnais là ton génie propre mais aussi l'optimisme de ta jeunesse. Car ces parents, ces amis, ne sauraient être objectifs. Or l'homme, de par sa nature, a besoin de connaître la vérité vraie et entière de lui-même et les tendres assurances de papa (ou des fois c'est maman, ça dépend) ne lui suffisent pas. Et qui d'autre que l'ennemi est mieux à même de nous renvoyer une image nette et totale de nous-mêmes, que nulle subjectivité sentimentale ne viendra altérer ? Il est donc indispensable à l'homme de se dégotter un ennemi vite fait et si possible plusieurs, et ce dès son plus jeune âge. Car sans ennemi, l'individu ne sait pas *qui il est*, et il en est embêté à l'extrême.

Prenons cet homme, de sexe mâle, qui s'en va seul pisser dans la nature ou dans la ville. Qu'observons-nous ? Va-t-il se planter en plein champ, en plein boulevard, en plein désert du

Nefud et pisser calmement? Point, mon garçon. L'homme, de par sa nature, pisse contre un arbre, un réverbère, un mur ou une pirogue et c'est un fait universel qui doit retenir tout notre intérêt. Peut-on dire que l'existence de l'arbre, de la pirogue, influe sur la capacité biologique de pisser? En rien. Serait-ce, à l'instar de l'animal, pour marquer son territoire? Point non plus, car l'homme est dépourvu d'odorat. Si l'homme se doit de pisser contre un arbre, c'est que l'arbre sur lequel il agit le définit en tant qu'homme en train de pisser. Un homme en train de pisser tout seul au milieu d'un champ n'est *rien*. Un tel acte de vie opéré dans la vacuité vidange l'homme de son sens, de son nom, de la connaissance de lui-même. Oui je sais, c'est compliqué, car les mystères de la vie sont compliqués, mais ne t'en fais pas, je vais te résoudre tout ce bordel en un tournemain. De même que l'urine vitale prend tout son sens contre l'arbre, de même en va-t-il de l'homme qui prend son sens contre l'ennemi, par effet de friction, et donc de contraste.

Pour cette cause impérieuse (la connaissance de soi, ne perds pas ça de vue), n'importe quel ennemi fera l'affaire, personne n'est exigeant et rien n'est plus facile à trouver qu'un ennemi. Le type dans la rue fera l'affaire, la femme dans le magasin, le voisin du dessous, le voisin du dessus, le jeune d'à côté, le vieux d'en haut, le Serbe, le Croate, le Noir, le Blanc et même le laboureur d'Éperville (Haute-Normandie). Quant à l'implication des femmes dans la guerre, il est évident que leur impossibilité physique à pisser contre un arbre les handicape gravement dès la naissance dans la poursuite du combat. Il advient donc souvent que les femmes aient à trouver d'autres manières de se définir, par exemple dans l'amour ou la philosophie, et on palpe ici du doigt notre thème central, mais je ne crois pas bon de se bousculer pêle-mêle. La guerre, mon gars, oui, c'est terrible. Quelle solution, me diras-tu? C'est tout simple, il s'agit pour l'homme de se trouver une autre manière de se définir, tu vois comme c'est simple, il n'y a pas de quoi fouetter un chat. Comment se définir? Par quel autre moyen? Pas de bousculade mon garçon, pas de bousculade, je ne te le redirai jamais assez, économise ton énergie, on y viendra, sois-en sûr. Sache déjà, et que cela te permette un début de méditation, que, ainsi que le disaient les vieux Grecs : *Quand s'arrête la parole, commence la discorde*. En d'autres termes plus châtiés : « Quand tu fermes ta gueule, commence le bordel. » Et c'est pourquoi tu vois ta mère parler et parler sans relâche, enfouissant les germes de la guerre sous l'apaisante magie du verbe, source de connaissance de soi-même et d'autrui, tel le bourricot tirant la charrue sur la route solitaire. Oui mon garçon.

Et qu'on veille bien à entretenir soigneusement la fluidité continue de ce verbe, et particulièrement avec les ennemis, et à ne pas sombrer dans la solitude et la rupture des mots. Moi qui vous parle, il peut m'advenir, à l'occasion, d'être plongée dans une solitude compacte (voilà 48 jours que l'homme de ma vie n'a pas donné signe de vie mais il en faudrait bien d'autres pour ébranler ma sérénité). La solitude ne m'effraie pas, loin de là. Dans cet état propice au recueillement, je me permets de visionner quelque film chargé d'action, d'aventure et de méditation. Las ! Par ma faculté peu commune d'entrer en symbiose avec mes semblables, il m'est alors arrivé, à l'occasion, de me transmuer au cœur de la nuit en Chérif des Howeitat et de mener, poignard en main, une troupe envoûtée de mille guerriers arabes à l'assaut d'Akaba. Il m'est arrivé de me déplacer brusquement de mon fauteuil dans le Grand Ouest où, fusil à l'épaule, j'attends sans crainte le déferlement de la horde sauvage que je décime dans son entier et sans barguigner. Moi qui vous parle, il a pu advenir, de-ci de-là, que je me dresse revolver en main (un six-coups à barillet qui appartenait à mon arrière-grand-père et auquel je tiens beaucoup), que j'étende un bras ferme, que je lève le chien et que je troue mes ennemis de balles fictives et meurtrières sans crainte du froid ni du danger. Cela sans qu'on touche à la névrose, en nulle façon. Ce petit exemple éclairant pour simplement souligner que même les esprits les plus forts, à la placidité hors du commun, ne sont pas à l'abri de quelque brusque montée de ferveur guerrière engendrée par le silence implacable de la solitude. Se mêle ici le concept dit de l'héroïsme, auquel je ne suis pas insensible, sans que cela touche à la névrose, et sur lequel on ne manquera pas de revenir tant ce concept nourrit la fiction artistique et fait défaut à la réalité. C'est pourquoi mon gars, médite bien la parole des vieux Grecs et n'aie de cesse de *parler à jet continu* (et de faire parler les autres, éventuellement, si tu as le temps seulement, c'est toi d'abord), si tu ne veux pas voir apparaître le mufle tentateur de la discorde.

Quant aux moyens simples et pratiques de réellement résoudre la question de la Guerre générale, on en reparlera plus loin, mais sans précipitation. Ne bouscule pas ta mère, s'il te plaît, ce n'est pas faute de te le répéter.

Soit dit en passant, on ne peut pas ne pas évoquer le mystère de la vie qu'est celui du *sable sec*, et je ne perds pas mon fil, j'ai l'œil vissé sur ma structure. Je dois confesser que je viens de faire une courte pause aux seules fins de me nourrir sobrement avec une mienne amie et en compagnie de ma sœur jumelle, auxquelles entre deux coups de fourchette je donnai quelques menus conseils sur la vie, sa structure et sa résolution, en particulier s'agissant de l'amour et du surdosage. J'entends par *Surdosage* une réception excessive de témoignages d'amour qui vous barre irrémédiablement l'accès à vos propres sentiments. Comme en toutes choses, l'abondance nuit à la perception de soi. Aussi ne vous alarmez pas si l'idée vous prend que vous n'aimez absolument plus personne et que votre unique désir est qu'on vous foute la paix, s'agissant d'amour. C'est là un effet naturel de l'abondance, du trop-plein de richesses, j'ai nommé le *surdosage*. Néanmoins, intervenez sans trop traîner: le surdosage peut entraîner le rejet définitif de l'objet aimé, un peu à la manière dont une absorption outrancière de noisettes se rappelle à votre souvenir plus de trente ans plus tard. Il en va du surdosage en noisettes comme du surdosage en amour: s'il n'est pas traité dans les temps, l'effet peut être irrémédiable. Exigez sur-le-champ qu'on baisse la dose, il en va de votre survie, s'agissant d'amour. Inversement, ne surdosez pas l'objet aimé, mal vous en prendrait, et on reviendra sur ce thème de l'amour, j'y compte bien, mais sans se bousculer et en le traitant à fond. À titre personnel, ma vie amoureuse est un fiasco complet, tant au plan personnel que personnel, et je ne dis pas cela parce que j'ai bu ce soir, entraînée par ma sœur jumelle et cette mienne amie qui remplissent mon verre à mon insu dans l'espoir vain que je cesse de leur prodiguer des conseils. C'est mal me connaître et ma mienne jumelle sait pourtant bien que je n'ai pas d'insu et que boire n'entrave pas ma parole ni ne m'ôte un instant ma lucidité, bien au contraire. Mais il advient parfois que ma propre sœur soit lassée des bons conseils que je lui délivre et que je lui résumai ce soir sous cette forme abrupte : « Agis et parle. » Or ma sœur, qui possède son génie propre, je ne sais pas si j'ai déjà mentionné le fait, éprouve une répugnance certaine à l'action comme à l'énonciation de la vérité. Ces sentiments font certes sa grandeur, dès lors qu'ils témoignent d'une exceptionnelle économie d'énergie, un peu semblable à celle de notre ami l'orang-outang que j'évoquais plus haut avec émotion, en même temps que d'un authentique souci de ne point chiffonner les autres par des propos un peu crus. Mais en matière d'économie d'énergie comme en toute chose, il convient de ne pas dépasser les bornes et c'est pourquoi il m'arrive de tirer la sonnette d'alarme et de dire « Halte-là, ma sœur ! » Rien n'indispose plus ma sœur que de me voir tirer cette foutue sonnette d'alarme. L'intempestivité, l'intervention brutale n'est pas son fait et il arrive qu'elle trouve à l'enlisement silencieux des charmes certains. Ma jumelle, faut-il le dire, est une anarchiste utopiste non interventionniste sur laquelle la puissance des faits et l'âpreté de la réalité n'ont strictement aucune prise. L'éclat de la vérité, la démonstration, la logique qui sous-tend les mystères de la vie lui sont indifférents. Elle accepte, à l'instar du peintre Magritte qui faillit déstructurer le monde par son mauvais exemple, qu'on lui présente un caillou et qu'on lui dise « Ceci est une chaise », c'est très souciant, oui mon garçon, telle est ta tante, il est plus que temps que tu t'en rendes compte. En cela on peut affirmer qu'elle est un roc inaccessible à tout raisonnement factuel, aussi éblouissant soit-il. Mais c'est compter sans mon opiniâtreté, et quel que soit le nombre de verres qu'on me sert pour interrompre le haut débit de ma clairvoyance. Car je dis « Halte-là, ma sœur et mon ange de lumière, l'enlisement étiré par le poids des ans dissimule sous ses douces vasières le volcan qui sommeille ». Oui mon garçon, et ta tante ne veut pas se foutre ça dans le crâne, par l'effet de quelque indolence qui fait sa grandeur. Or le volcan s'éveille, un jour ou l'autre, et mieux vaut le savoir d'entrée de jeu, c'est pourquoi je m'attelle sans mollir à ce petit recueil de bienfaits. On voit qu'avec cette affaire d'enlisement je pétris du doigt le thème central de cet opus, l'amour, dont je parlerai plus loin sans barguigner mais rien ne nous presse, il n'y a pas le feu. En même temps que surgit la question proprement centrale de la philosophie, à savoir si la vérité de la vie est dans la vase ou dans le volcan, et j'y reviendrai, comptez sur moi.

Soit dit en passant, je recueille le petit fait suivant sur ma route et je ne lâche pas mon fil. Le chauffeur du taxi qui me ramenait vers mon labeur était un Vietnamien encore peu accoutumé aux usages de notre beau pays, j'ai nommé la France. Passant par la rue Campagne-Première, il s'enquit de la signification de ce nom et c'est bien volontiers, eu égard à l'heureux caractère que j'ai la bonne fortune de posséder, que je renseignai mon chauffeur avide de connaissances. Empruntant à la suite l'avenue René-Coty, il m'annonça dans son langage un peu fruste qu'il s'agissait là du dernier président de la Quatrième République. De la Troisième République, rectifiai-je bien volontiers, soucieuse de parfaire son éducation. De retour dans mon lieu de labeur, je jetai un œil distrait et amusé sur mon *Dictionnaire universel d'Histoire de tous les pays*, et force est d'avouer que le Vietnamien inaccoutumé n'avait pas tout à fait tort. Anecdote qui me permet de vous rappeler utilement que d'une part, les apparences sont trompeuses, ainsi qu'on l'a fermement énoncé en ouverture avec le concept dit « du ver de terre », et que d'autre part l'esprit et le savoir humain sont un et indivisible, ce qui fonde l'universalité de mon propos. Méfiez-vous accessoirement des chauffeurs vietnamiens, ils en savent infiniment plus que vous sur le bordel politique du XIXe et du XXe siècle français et ils ne sont pas les seuls, croyez-moi sur parole. Révisez tout à fond avant de monter en voiture, et assurez-vous que vous possédez sur le bout des doigts votre Histoire de France car le piège est là qui vous guette quand, quiètement lové dans vos a priori aveugles et votre obscurantisme béat, vous ne l'attendez pas. Cette simple précaution vous évitera de débarquer chez vous anéanti, à bon entendeur, salut. Mais il en faudrait beaucoup plus que ce chauffeur érudit pour déstabiliser l'auteur de ce traité sur les vérités de l'existence. Loin d'être anéantie, je me redresse, et cette allusion à l'obscurantisme où s'endorment nos facultés, les mettant à la merci du premier aborigène vietnamien venu, me ramène en droite ligne au sujet central de notre essai, l'amour. Nous en traiterons, soyez sans crainte, et sous peu vous serez bien campé sur votre affaire. L'amour vous paraît sournois et tortueux, vous échappant tel l'orvet se glissant sous l'herbe, mais il n'en est rien. Les réponses existent, simples et pratiques, et je vous les donnerai à point nommé. Mais ainsi que je le répète inlassablement à mon garçon, s'agissant des problèmes importants et des mystères de la vie, rien ne presse, sachons prendre notre temps pour les aborder en toute sérénité, un soldat averti en vaut deux. La charpente avant tout, la structure et la cohérence d'abord, c'est ce que je dis toujours. Les réponses en découlent d'elles-mêmes et elles découleront, comme des gouttières d'un toit bien conçu, il n'y a aucun souci à se faire là-dessus. Le fait accessoire que ma vie amoureuse soit une longue suite de revers tant au plan personnel que personnel ne doit en aucune manière vous alarmer, je suis catégorique sur ce point. Et je dis même, au contraire. Endurcie par les épreuves, aguerrie par les échecs, ayant acquis de déboires en insuccès une lucidité proprement effarante et une connaissance fouillée des chausse-trappes que la vie s'amuse à jeter de-ci de-là sur notre route, je suis, par le fait même, la femme de la situation, et je fus moult fois décorée pour ma résistance héroïque face à l'adversité (on retrouve ici le thème central du héros, qui n'est pas sans croiser celui de l'amour, de la guerre et de la philosophie). Cette expérience peu commune m'a valu d'endosser toutes sortes de missions périlleuses, s'agissant d'amour, et je fus maintes fois envoyée sur le front en éclaireur aux seules fins d'épargner à mes frères humains les menaces de la route. Et, de même que la connaissance du passé permet de présumer de l'avenir et de s'en méfier (on voit ici que mon esprit d'Historienne me talonne sans relâche), l'expérience me confère des talents prédictifs hors du commun s'agissant d'amour. Vous pouvez donc avoir la foi la plus aveugle en les vérités que j'expose dans ce recueil, aussi magistralement serrées que les tuiles d'un toit et ses gouttières.

Mais je garde l'œil vissé sur ma charpente et le *sable sec* soulève un mystère qu'on ne peut pas éluder d'un revers de manche. J'emprunte à un mien ami artiste la formule suivante qu'il glissa à l'occasion dans un sien livre. Car il se trouve que j'ai l'heureuse ou la mauvaise fortune de compter parmi mes amis une quantité considérable, je dirais même anormale, d'artistes, qui tous fabriquent dans leur coin leur kit personnel du Sens de la vie à l'aide de matériaux divers, sans du tout se préoccuper de le faire entrer dans la tête des autres. Cela fait peine. Outre cette multitude de petits kits dont je suis entourée, cette profusion d'artistes entraîne à sa suite une addition inimaginable de déstructurations qui violent les lois les plus élémentaires de la société. Cela fait peine. Car, ainsi que je l'ai exposé, l'artiste, de par sa nature, et par le fait même qu'il bricole son kit dans son coin, se fout éperdument de respecter les codes normatifs de la vie sociale qui en valent pourtant bien d'autres et déstabilise, par sa liberté outrancière, le concept même de la Vie Normale, sur lequel on reviendra, soyez-en sûrs. Grâce à Dieu, je n'ai pas la bonne fortune d'appartenir à cette catégorie de privilégiés individualistes et, seulement chichement servie par mon esprit des Lettres jouxté à mon esprit des Sciences, alliés à une exceptionnelle mémoire secondée par une lucidité hors du commun, je mène, seule, une vie réglée et responsable, marchant au pas de la discipline sociale de tous. C'est aussi pourquoi je me retrouve attelée tel le percheron à son labour d'épaule, traçant les sillons de la vérité à travers les champs désolés. Néanmoins cette myriade d'artistes inconséquents, se jouant autour de moi comme des étoiles filantes autour de la masse scintillante de la Lune, m'apporte incidemment quelques bienfaits. Si je me compare à la Lune, n'y voyez nulle mélancolie. La lune éclaire la sidérale obscurité de l'univers, guide nos pas dans les ténèbres et commande aux mouvements de toutes les mers du globe sans même lever le petit doigt. C'est dire si le rapprochement entre cet astre puissant et débonnaire et l'auteur de ce petit recueil est approprié. En outre la Lune, dotée d'un aimable caractère et possédant son génie propre, n'est pas sans me rappeler la sagesse muette de mon ami l'orang-outang. Mais je garde un œil sévèrement boulonné sur ma charpente et je maintiens que les pensées éparses des miens amis artistes ont pu, à l'occasion, venir enrichir mes pensées.

C'est ainsi qu'un mien ami artiste écrivit un jour, sous l'image d'une fillette se distrayant à la plage avec des poignées de sable, l'énoncé suivant: *Pourquoi le sable, plus on le serre, plus il s'en va?* Je regrette pour la clarté du propos que ce mien ami n'ait pas songé à préciser: «Pourquoi le sable *sec*, plus on le serre, plus il s'en va?» Mais n'allez pas demander à un artiste d'être rigoureux dans l'expression de sa pensée, tout occupé qu'il est à fourgonner dans son sien coin avec son kit individuel. C'est aux penseurs de combler les manques et c'est pourquoi j'estime de mon devoir de compléter cet énoncé, auquel je rends honneur néanmoins. Il est bien triste évidemment que ce mien ami n'ait pas envisagé de répondre à l'interrogation fondamentale qu'il soulevait mais, comme je l'ai déjà signalé, il est infiniment plus facile de défaire que de faire. D'autant que ce mien ami, de par sa condition d'artiste, est non seulement fortement occupé à fourgonner mais aussi à profiter dans l'insouciance de tous les plaisirs de la vie dans les contrées sauvages, je ne lui jette pas la pierre, en oubliant à l'occasion que l'humanité est dans l'expectative. Et c'est donc aux logiciens, attelés tel l'étalon à la charrette de merde sur le sentier solitaire, de répondre aux questions inachevées que les artistes, dans leur folle étourderie, se plaisent à jeter çà et là dans les jambes de leurs contemporains. Cette affaire de la *poignée de sable sec* vaut aussi bien pour la poignée de pâte à modeler, d'argile, de pâte à pain, de bouillasse, d'eau, de vin, de feta, de crème normande, de merde et de quantité d'autres matières dont la liste nous entraînerait inutilement trop loin. On comprend d'ailleurs que ce mien ami ait choisi le sable sec plutôt que la feta ou la merde, dans un pur souci d'esthétique, mais l'esthétique n'est pas ici mon propos, on l'aura compris. La sélection drastique que l'esthétisme impose parmi les choses de la vie nuit considérablement à l'exposition entière des vérités de l'existence. Or, qu'on ne se voile pas la face, ce serait la dernière des choses à faire si vous voulez pleinement profiter de ce recueil: la merde (j'entends par ce terme évasif les *excreta*, et on sent bien ici la force de mon esprit des Sciences qui me talonne) fait essentiellement partie des vérités comme des mystères de l'existence, car l'existence n'est pas faite que de beauté pure, concept sur lequel il sera nécessaire de revenir. Car non mon garçon, ne va pas te figurer, dans cet enthousiasme de la jeunesse, que la vérité de la vie n'est que somme de magnificences. Tu dois comprendre, mon petit gars, que faire l'impasse sur la merde dans un tel recueil serait une erreur conceptuelle de base. On touche là du doigt le thème central de notre ouvrage, la philosophie. Car de même que pour la couleur Rouge, la conception négative que l'être humain se fait de l'*excretum* n'est validée par aucun élément probatoire. On rejoint ici en droite ligne le concept dit «du ver de terre», selon quoi les apparences sont toujours trompeuses et par là, on épingle notre thème central de l'amour que l'on abordera en son temps, il est inutile de se bousculer. Toute vérité vient à point à qui sait attendre et j'ai déjà développé la question de l'impatience et de ses issues catastrophiques. L'*excretum*, et je ne répugne pas ici à parler brutalement des faits sans barguigner, l'*excretum*, d'abord fonction vitale et purifiante de l'être, puis source irremplaçable de l'amendement des sols, puis capable, par cette transmutation en humus enrichi, de s'auto-régénérer sous la forme d'un foin vigoureux, lui-même déterminant la survie des veaux, vaches, cochons et autres insectes (faites-moi penser à vous entretenir des fourmis), et partant celle de l'homme, l'*excretum* accomplit le cycle complet de la nature, depuis son origine jusqu'à son éternel recommencement. Autant dire que c'est la vie humaine tout entière qui repose sur son *excretum*, comme sur les vers de terre, et que nier sa valeur est une faute méthodologique de fond. *Excreta* et vers de terre sont à la base de toute forme d'existence et de son renouvellement, avec quelques autres substances dont je n'omettrai pas de parler, et il serait grand temps que l'on extraie ces nobles éléments de la gangue d'ignorance où notre esprit étroit les enferme à l'aveuglette. Oui mon garçon, sache que l'apparence de l'objet n'est pas l'objet lui-même, comme je crois déjà te l'avoir signalé, j'aimerais bien ne pas avoir à répéter les choses dix fois. Et sache rendre à César ce qui lui appartient et aux *excreta* leur grandeur, tu vois que ta mère n'y va pas par quatre chemins. Et vois comme les enfants, dans leur sagesse instinctive que la société ignare a tôt fait de brider, offrent leurs *excreta* à leur papa (ou à leur maman, ça dépend, des fois c'est la maman) avec une légitime fierté. Sans les vers de terre et les *excreta*, point de vie, point de naissance et point de grandissement, partant, point d'amour. J'aborde là du doigt le thème de cet opus et j'y viendrai sans précipitation, car la précipitation ruine la méthode. Or pas de méthode, pas de recueil. Il faut savoir ce qu'on veut.

Pourquoi le sable sec, plus on le serre, plus il s'en va? J'ai le regard riveté sur ma structure et je n'en décroche pas. Car, par le serrage, la main exerce une pression sur la matière semi-fluide qu'elle contient et l'éjecte hors de son contenant. On arrive en droite ligne au concept-clef de *Pression*, qu'il est décisif de bien dégager dans cet opus. Voici deux nuits que je n'ai pas fermé l'œil mais ma vigilance en est augmentée d'autant. À l'heure où j'écris, ma propre sœur jumelle dort encore du sommeil de l'artiste pendant que mon aîné se dépense fougueusement avec un manque d'économie d'énergie regrettable. Je ne leur reproche rien, bien au contraire, car chez nous la solidarité familiale passe avant toute chose, dans un souci bien compris de portée universelle. Néanmoins, eu égard au collier d'épaule auquel je suis attelée, dans la solitude, j'eus aimé, dans un rêve impossible, qu'ils fussent tous deux autour de moi pour me préparer quelque thé revigorant et m'encourager de leur présence silencieuse, ainsi que mon fils qui, assis à mes côtés, se fût acquitté des devoirs qui lui restent à faire au lieu de baguenauder avec ses camarades de colonie. Ainsi que ma mère qui, non loin, par sa douce et ferme constance, eût maintenu ma résolution du travail bien fait dans le droit fil au lieu de baguenauder dans les prairies fangeuses de Normandie, en surveillant les travaux du maçon qui répare, j'espère, le pignon ouest *et* le pignon est de la fière demeure familiale. Ainsi que l'homme de ma vie qui, tel le lion, eût posé à l'occasion une patte affectueuse sur mon épaule pour m'insuffler son énergie virile mais, comme je vous l'ai dit, voici 49 jours que je suis sans nouvelles de lui (et ne croyez pas que je dresse un compte mercantile), ce qui ne me semble pas très bon signe mais il en faudrait beaucoup plus pour faire vaciller l'auteur de ce traité. Certes le cercle prévenant de ma famille m'aiderait à croiser sans mollir le fil de chaîne et le fil de trame, mais en toute chose comme en celle-ci, ne chouinons pas. Non mon petit gars, car tu sais que ta mère n'est pas femme à chouiner ou à baisser les bras pour un oui pour un non, comme tant d'autres cyclothymiques nerveux qui fatiguent leur monde. Il est également possible que l'éloignement fortuit des membres de ma famille leur apporte quelque délassement (je ne parle pas ici de mon frère qui ne se délasse jamais), car il advient à l'occasion que le flux lumineux de ma parole les épuise, et c'est bien humain. Cependant une tasse de thé n'eût pas été de refus, depuis trois jours que je jeûne et ne prends nul repos. Mais las! Tel n'est pas mon destin et ma famille éparpillée aux quatre vents de son esthétisme, de sa fougue, de ses plaisirs et de ses pignons me laisse, sans pourtant m'abandonner, avancer sur la route tel le bourricot tirant de l'épaule sa carriole de purin, traçant le chemin de lumière. Mais je ne veux pas vous importuner avec mes soucis personnels, ce n'est pas le sujet, d'autant que je respecte à un degré qu'on a peine à imaginer la liberté de chacun et tout d'abord celle des membres de ma famille et que je m'apprête, dans un souci de discipline, à téléphoner à ma sœur pour la réveiller, il serait temps que je m'en mêle. Car les artistes ont des bornes que, même avec leur génie propre, ils ne peuvent dépasser sans outrager la société tout entière. Ne va pas croire, mon garçon, que je te reproche quoi que ce soit. Non, amuse-toi bien, c'est là l'essentiel tant que le travail qui doit être fait est bien fait, et je reviendrai sur ce point fondamental du « Amuse-toi bien », qui n'est pas sans appuyer du doigt sur notre thème central de l'amour. Mais ne me bouscule pas.

Dans un recueil d'aphorismes aussi charpenté que celui-ci, il serait inconcevable de faire l'impasse sur ce concept dit de *pression*. La pression en effet imprime sur toute matière qui la subit un mouvement de *déplacement* qui éloigne l'objet sur lequel elle s'exerce (tu retrouves ici mon petit gars tout l'Esprit scientifique qui talonne ta mère sans relâche). Ainsi en va-t-il de la porte sur laquelle on appuie, du clou sur lequel on frappe, du ballon dans lequel on tape, de la pierre que l'on jette, de la feuille que l'on froisse, du canapé sur lequel on s'assied et, enfin, du sable sec que l'on serre dans sa main. Soumis à cette action de pression, l'objet fluide ou semi-fluide (attention, il ne s'agit pas là de la mécanique des solides et dans le cas du clou, c'est le bois qui est semi-fluide et non pas le clou, prenez garde à ne pas tout emmêler, je n'ai pas que ça à faire), l'objet fluide ou semi-fluide *s'éloigne*, et de diverses manières selon la nature de l'objet : il s'en va, il bifurque, il se ratatine, il s'écarte, il recule, voire il échappe et disparaît tout à fait (ainsi le sable sec ou l'eau). Tel est l'effet d'éloignement dû à l'action de « pression » sur les corps fluides et semi-fluides. C'en est même le plus souvent l'objectif, comme dans le cas du ballon, de la porte, du clou. Car si vous enfoncez un clou à coups de marteau mais que tel n'était pas votre objectif, je ne sais plus quoi faire pour vous sinon vous conseiller de lire inlassablement ce recueil ou de devenir artiste. Il peut aussi advenir que l'effacement de la matière sous l'exercice de la pression ne soit en aucun cas volontaire, et c'est là que les choses prennent une tournure intéressante, comme dans le cas du sable sec ou du canapé, dont le rembourrage subit un effet d'écrasement non prémédité mais néanmoins inévitable, que cette pression se soit exercée avec votre poing, votre pied ou vos fesses, tu vois mon bonhomme que maman n'y va pas par quatre chemins.

Or, et accroche-toi bien mon petit gars, sache que l'homme appartient, de par sa nature, à la catégorie des matières molles semi-fluides sur lesquelles le phénomène de la pression *va donc pouvoir s'appliquer pleinement*, selon le principe imparable de la physique des corps. Tu t'en fous, tu as tort, et c'est là un simple effet de ton jeune âge insouciant, en dépit de ton génie propre. Mais plus tard, devenu homme, tu seras heureux, crois-moi, de pouvoir bénéficier des irremplaçables leçons de ta mère sur la mécanique des semi-fluides qui, serrées dans ta poche revolver, te guideront en bien des domaines y compris s'agissant de l'amour et de la philosophie et t'éviteront un nombre considérable de bourdes ordinaires. Alors, si tu le veux bien, prête-moi attention deux minutes car nous arrivons là à l'essentiel et sans barguigner. Je réveille ta tante pour qu'elle puisse profiter en direct de la leçon, encore qu'elle ne soit nullement concernée par le phénomène. Toute pression exercée sur un être humain imprime à cet être, de par sa nature semi-fluide, un effet de déplacement, d'éloignement, voire de totale disparition. En des termes plus littéraires (car ta mère allie l'esprit des Lettres et l'esprit des Sciences et tu vas t'en rendre compte sur-le-champ), plus tu presses sur quelqu'un, plus il se barre. Qu'entend-on, s'agissant d'êtres humains, par « pression » ? Les moyens sont infiniment variés, comme le sont les outils de pression sur les choses. Parmi ces derniers, je cite par ordre croissant le doigt, la main, la brise, le poing, le pied, le genou, le coup de boule, le pilon, le marteau, la masse, le vent, le percuteur, le bélier, le rouleau compresseur, le cyclone, le raz de marée et l'explosif, tous engins susceptibles d'exercer une pression sur un corps, pression plus ou moins intense selon sa *cadence* et sa *répétition*. Un coup de masse sera ainsi mille fois moins déplaçant qu'un coup de tornade. Mais trois mille coups de masse peuvent te foutre une maison par terre plus sûrement qu'un seul coup de tornade. Garde bien cette trilogie à l'esprit, sans laquelle aucune vérité ne tient le coup : un, l'outil, deux, sa répétition, trois, sa cadence. Ce triple effet croisé ne vaut pas en revanche pour les marges extrêmes car les mystères de la vie sont compliqués : mille pressions de la main n'équivaudront jamais à une seule charge d'explosif. Tu t'en fous, tu as tort, crois-moi.

Les moyens de pression sur un être humain présentent la même amusante variété, que je classe également par ordre croissant, car je suis là talonnée par mon esprit des Sciences : coup de téléphone, lettre, sollicitation, invitation, demande, prière, récrimination, reproche, supplique, exigence, revendication, sommation, interdiction, chantage, ultimatum et enfin, commandement. Et de même qu'avec les outils, la puissance de chacun de ces moyens varie avec la répétition *et* la cadence. Ainsi cent coups de téléphone (concept de répétition) répartis sur une moyenne de un à sept par jour (concept de cadence) peuvent déterminer une pression beaucoup plus vigoureuse qu'une seule supplique. Mais de même que pour les outils, la loi ne vaut pas pour les extrêmes et cent invitations seront moins explosives qu'un seul commandement (encore que, car l'être humain, de par sa nature, est un matériau plus complexe au niveau réactif que le bois, le sable ou le canapé).

D'où il ressort qu'une pression durablement exercée sur un être humain, assortie d'une répétition et d'une cadence, précipite inévitablement, je classe par ordre : la bifurcation, le repli, l'éloignement, la fuite, *voire la disparition totale de l'être sur lequel la pression s'est exercée.* Je vois, mon petit gars, que tu commences à t'intéresser à ce que dit ta mère, et ce n'est pas dommage, tires-en bien ton profit, je ne vais pas le redire vingt fois. Car par cette analyse scientifique de la pression sur les corps semi-fluides, je cogne de plein fouet notre thème central, l'amour, mais sans se hâter plus que nécessaire non plus. Plus la répétition et la cadence des moyens de pression augmentent, plus l'effet de disparition de l'être aimé est prompt et assuré. En calculant bien votre coup, vous pouvez perdre un amour en l'espace de neuf jours et huit nuits. Parfois moins, je l'ai vu de mes yeux vu, et tu sais que ta mère ne lance pas des faits au petit bonheur la chance. Néanmoins même une pression légère, voire ineffable, produit son effet, n'allez pas croire que vous pouvez presser impunément : de même qu'une brise de printemps peut entrouvrir une porte, de même quelques appels en surnombre peuvent déterminer une certaine bifurcation chez l'être aimé. Ces effets discrets sont cependant rattrapables, que personne ne s'affole et que celui qui n'a jamais péché lève le doigt. En effet, grâce à ce recueil, il vous suffit après quelque méditation de contrer l'effet de pression par un effet d'anti-pression, et je vais y venir, ils sont nombreux.

En revanche certains types de pression sont strictement irréparables, je veux nommer par exemple le plus courant d'entre eux, l'*ultimatum*. Et là je dis «Halte!» L'ultimatum, autant le savoir d'entrée, ne réussit jamais et se retourne systématiquement contre celui qui l'a lancé, tel le boomerang. Un ultimatum lancé est un ultimatum perdu, on voit que je n'y vais pas par quatre chemins. Et quand je dis «systématiquement», je pèse mon mot, dans sa brutalité absolue, et je ne jette pas un chiffre au hasard. S'il y en a parmi vous à qui la signification du terme «ultimatum» échappe, par un réflexe d'autruche bien compréhensible, je vous en livre l'exemple type et sans barguigner: «C'est lui ou moi» ou «C'est elle ou moi» sont des «ultimatums». On voit par là que la notion d'«ultimatum» recouvre celle du «commandement», qui ne vaut pas mieux, à ceci près que l'ultimatum suppose un délai de réflexion et le commandement aucun. On voit aussi que l'«ultimatum» se confond également avec le «chantage», qui ne vaut pas mieux, à ceci près que le chantage s'appuie sur une subordonnée de condition («*Si* tu ne le/la quittes pas, je me tue») alors que l'ultimatum n'est pas une condition mais un choix imposé, à très court terme. J'expose ces différences en raison de l'esprit scientifique qui me talonne, mais il faut savoir que dès l'instant où la pression a atteint ces degrés, qu'il s'agisse d'un chantage, d'un ultimatum ou d'un commandement, vous êtes foutu, de toute façon, telle une chaudière ayant passé 3,5 bars de pression et 95 °C de température. À la différence de la chaudière qui dispose d'un dispositif de sécurité dit «clapet», l'homme n'en dispose d'aucun, s'agissant de notre noyau central, l'amour. Ne vous fatiguez pas à chercher un clapet, il n'existe pas. On voit que je ne mâche pas les vérités mais la tergiversation n'est pas le but de ce recueil. À ce stade, l'amour explose.

N'en inférez pas pour autant que vous pouvez vous permettre de grimper jusqu'au seuil de pression infra-chantage. Non, car je vois que vous avez tôt fait d'oublier le principe de la répétition et de la cadence, et laissez-moi vous dire que si vous croyez pouvoir écrire une lettre par jour ou téléphoner tous les soirs à l'être que vous aimez, vous vous fourvoyez gravement. Passé cinq mois à ce rythme (je ne parle pas des six premiers jours où tout ou presque est permis, dans l'euphorie gommante, et je reviendrai à cette notion d'euphorie), la chaudière explose exactement de la même façon. Un appel tous les deux jours ? me direz-vous dans votre obstination à ne pas vouloir comprendre. Avec un appel tous les deux jours, vous ne faites que doubler votre temps de survie. Passé neuf mois à ce rythme, moins les six jours d'euphorie, égale 35 semaines (et je n'avance pas des chiffres tête-bêche à la légère), la chaudière explose. Je vous ai donné le truc, vous pouvez faire le calcul vous-mêmes, vous êtes assez grands. Ainsi, à raison d'un appel tous les quatre jours, l'amour vous pète dans les mains en l'espace de 15 mois moins 6 jours. N'oubliez pas dans vos calculs de bien tenir compte de l'*exponentielle* : plus le temps passe, plus l'effet de pression s'accentue, formant une courbe ascendante. Je veux bien m'expliquer là-dessus mais je vois que vous ne faites aucun effort. J'ai bien conscience de vous livrer tout à trac des vérités assez brutales sur l'amour mais que voulez-vous, je vous avais prévenus dès le départ et si je le fais, c'est pour votre bien : mieux vaut tigre en plaine que serpent sous les herbes. Courbe exponentielle de l'effet de pression, donc : si on vous tape une fois sur le doigt avec un marteau (n'écoute pas mon petit gars, il arrive à maman de s'emporter et de dire les choses un peu crûment), vous avez mal. Si on vous tape deux fois sur le doigt, vous avez deux fois plus mal, plus un millième de douleur ajoutée considérée comme négligeable. Mais si on vous tape 15 fois sur le doigt avec un marteau, vous n'avez pas 15 fois plus mal, mais 127,4 fois plus mal, et je ne fourgue pas des chiffres au hasard. La preuve en est que si l'on vous tape 200 fois sur le doigt, vous n'avez pas 200 fois plus mal, vous n'avez plus de doigt, c'est tout (n'écoute pas mon garçon, on discute entre grands). Tous ceux qui se sont livrés comme moi, qui ne crains ni le froid ni le danger, à cette expérience exponentielle le savent. Car les effets de pression ne sont pas infiniment reproductibles, d'où le principe d'explosion et de terminus. Plus de doigt, plus d'amour. Donc, tenez bien compte de cette courbe d'élévation dans vos estimations, sans quoi vous risquez d'aller à la catastrophe. Je veux bien vous dépanner une fois encore en choisissant sur notre liste de moyens de pression un autre exemple, d'ordre moyen à grave : le Reproche.

Sachez que le Reproche, et tu peux à nouveau ouvrir grandes tes oreilles mon garçon, j'en ai fini avec l'histoire du marteau, est en soi une absurdité crasse. On voit que je n'y vais pas par quatre chemins, même s'agissant du reproche qui est la denrée la plus répandue sur terre, avec la guerre, qui est également une absurdité crasse. Mais je suis ainsi, je saisis le taureau par les cornes et rien ne me fait peur, je fais face au monde, qui bourdonne de reproches jusque dans l'infinité de ses fractales. Si on compte six milliards d'êtres humains, dont deux milliards d'adultes en pleine possession de leurs moyens de pression s'agissant d'amour (moins les membres de ma famille qui atteignent par quelque génie propre une sorte de perfection peu commune, ainsi que moi-même, sans quoi je ne pourrais rédiger ce petit traité), deux milliards d'adultes s'adressant chacun en moyenne pondérée deux reproches par jour et je suis indulgente, on atteint, par an, une somme de 1460 milliards de reproches sur la terre, à la résorption desquels l'activité fouisseuse des vers de terre ne peut strictement rien, pas plus que le tournevis d'électricien. Soit 730 milliards de relations, s'agissant d'amour, foutues en l'air, et je ne m'amuse pas à balancer n'importe quels chiffres, j'ai bien d'autres choses à faire. C'est beaucoup, et cela peine. D'où l'urgence de ce petit recueil. Rien que dans cette fière paroisse de Normandie qui dresse son clocher embourbé sur les prés détrempés, sur une durée de vingt et une années, on obtient le chiffre impressionnant de 385 relations foutues en l'air sur la base de cette absurdité crasse qu'est le reproche. C'est beaucoup. C'est énorme.

Pourquoi le Reproche est-il, outre un moyen de pression, une absurdité crasse ? Ne vous inquiétez pas, je tiens mon fil, et j'ai le regard dardé sur la charpente que je ne quitte pas une seconde de vue. Considérez que le reproche, à la différence du coup de téléphone ou de la lettre, s'appuie sur le présupposé qu'on peut changer quelqu'un en quelqu'un d'autre. C'est ce qu'on appelle le concept de l'*amour rédempteur* (né de l'euphorie gommante), mais je ne veux pas vous effrayer par des mots compliqués, j'ai promis que ce traité serait simple et je ne suis pas femme à ne pas tenir mes engagements. D'autant que je compte bien que mes trois neveux se pénètrent des phrases de ce recueil, or le dernier n'a que dix ans. Je ne sais pas si je vous ai déjà parlé de mes trois neveux, qui possèdent leurs génies propres encore que très divers, l'un dans l'activisme, l'autre dans la finesse calculée, le dernier dans l'expansion vitale, mais je ne veux pas vous inquiéter avec mes soucis de famille. Si tu veux bien, mon garçon, faire un peu de place sur la banquette pour que tes cousins puissent profiter de ma leçon, ce serait charitable de ta part, mais je connais ton cœur d'une générosité peu commune. Que personne ne s'inquiète, je suis mon fil en droite ligne et je puis vous assurer que rien, mais absolument rien, ne m'en fera dévier. Je vous abandonne une seconde pour voir si j'ai reçu, à l'occasion, un message de l'homme de ma vie et je reviens, tel le cheval. Non, je n'ai rien reçu, et la nuit tombe à présent sur Paris, la ville-lumière et capitale du monde, environnant ma table de labeur d'une solitude dite « compacte ». J'entends par « compacte » la solitude que l'on *subit*, fort différente de par sa nature de la solitude que l'on *choisit*, et que je nomme la « solitude allègre ». Pas de message, ne vous alarmez en aucune façon, il en faudrait beaucoup plus que cela pour faire chanceler l'auteur de ce recueil, croyez-moi. Encore que je ne considère pas ce silence comme un signe très encourageant. Mais je ne suis pas femme à chouiner devant l'adversité, non mon petit gars, ta mère n'est pas comme ça. Ne disposant par ailleurs d'aucun des moyens de pression dont je vous entretiens, par le fait de mon heureux naturel autant que de mon intense méditation, je suis dans l'incapacité d'exercer une quelconque action sur l'émergence de ces foutus messages ou de ces foutus appels. Messages ou appels que, fidèle à mes propos concernant le cas du bus (qu'on veuille bien faire l'effort de se souvenir, je ne peux pas tout vous répéter), je ne *surveille* ni n'*attends* en aucune manière, et ceci sans aucune impatience. Il en faudrait bien plus que cette vacuité de messages, cette nuit qui tombe sur Paris, ma solitude compacte et ma sœur réveillée qui s'en va vaquer dans des siens cafés à la recherche des plaisirs et de l'esthétisme pour me déstabiliser, certes oui. Et tel le cheval de trait de Rhénanie-Westphalie attelé à son chariot de fumier, je trotte sur mon chemin, compact et éblouissant de clarté. On voit par là la force de caractère peu commune que j'eus la bonne fortune de posséder en naissant.

Et c'est l'œil vissé sur ma charpente que je dis que le Reproche, qui critique une attitude pour en recommander une autre, tend fondamentalement à changer l'autre. Or, et je n'y vais pas par quatre chemins, *on ne change pas l'autre*, tenez-le vous pour dit dès le départ, cela éclaircit d'emblée la question. On ne change pas l'autre, même pas d'un iota, et c'est là un fait établi que j'ai pu vérifier sur 6 579 sujets placés dans les conditions d'être changés par un autre. On enregistra au cours de ces longues nuits d'observation, sans crainte du froid ni du danger, 6 579 échecs, et je ne vous largue pas des chiffres au petit bonheur la chance. Si quelqu'un veut changer de lui-même, grand bien lui fasse, c'est son droit le plus absolu, et cela se produit bien souvent. C'est-à-dire qu'en réalité, il n'a pas changé, il est devenu lui-même, mais je ne voudrais pas compliquer le débat par des concepts inabordables. Les gens changent, donc, de leur propre ressort. Mais du ressort d'un autre, non, vous qui passez par là, abandonnez tout espoir. C'est pourquoi je dis, sans crainte du froid ni du danger, que le Reproche, s'agissant d'amour, est une invention humaine d'une absurdité crasse, et il y en a d'autres, la liste est longue. Je ne vous la dresse pas pour ne pas vous déprimer, d'une part parce que les enfants écoutent, d'autre part parce que l'objectif de ce recueil est au contraire de vous donner espoir. Je m'en voudrais que vous désespériez de l'humanité qui, parfois, à ses heures, a bon fond et, de temps à autre, invente autre chose que des absurdités crasses. Il y a bel et bien de l'espoir dans l'humanité, s'agissant tant de la philosophie que de la guerre ou de l'amour, et je ne manquerai pas de vous en toucher un mot à l'occasion.

Outre qu'il est une absurdité, le Reproche est donc un moyen de pression, de force 6 à 7, c'est-à-dire moyen à grave. À la différence de l'appel téléphonique, de la lettre ou même de la sollicitation appuyée, le maniement du reproche détermine donc l'explosion de l'amour avec une rapidité accrue, je pense que vous suivez le fil. Un reproche tous les 8 jours équivaut à une lettre tous les 2 jours, en matière de puissance de pression et s'agissant d'amour. D'où il ressort qu'avec un simple reproche tous les 2 jours, vous amenez l'explosion de la chaudière en un délai sportif de 51 jours moins 6, égale 45 jours. Avec un reproche par jour (ce qui demande évidemment de l'imagination, mais l'esprit humain ne connaît guère de limites en ce domaine, comme en celui de la guerre; à défaut d'imagination, le même reproche peut être réitéré quotidiennement, ce qui revient sensiblement au même et je ne veux pas vous ennuyer avec des chiffres après la virgule), avec un reproche par jour, vous faites tout péter, en tenant compte de notre courbe exponentielle toujours, qu'on ne quitte pas de l'œil, en l'espace de 18,5 jours, moins 6 d'euphorie, égale 12,5 jours, une performance très appréciable. Avec deux reproches par jour, si vous savez tenir la longueur, vous restez sur le sable en 6,25 jours, moins 6 jours, soit en six heures, ni plus ni moins. Plus le moyen employé est puissant, moins son maniement nécessite d'être répété. Avec un unique ultimatum, vous perdez tout en une seconde à l'expiration même de l'ultimatum. Avec un seul commandement, vous perdez tout sur-le-champ.

Je pense n'avoir pas ménagé ma peine pour vous faire comprendre les causes et les effets du concept fondamental du *sable sec*, et du maniement des moyens de pression sur autrui en rapport avec l'instinct de liberté dudit autrui, de par sa nature semi-fluide. Aussi ne vous étonnez pas de m'entendre dire « Halte-là ! » et de vous conseiller ardemment de balancer à la décharge toute la mallette à outils de pression. Nous en sauverons, car nous voulons tenir compte du besoin d'expression de l'être humain et des bienfaits avérés de la parole, le coup de téléphone et la lettre, à la condition qu'il en soit fait un usage précautionneux et longuement médité, à raison, pour le téléphone, d'une fois par 20 jours et de la lettre d'une fois par 7 semaines, tout en sachant introduire de l'irrégularité dans la cadence. Si vous outrepassez cette posologie, vous n'aurez plus qu'à pleurer toutes les larmes de votre corps et ne me dites pas que je ne vous aurai pas prévenus et solidement charpentés. Je vois mon fils et mes neveux qui opinent, et c'est bien normal, car il y a dans l'enfance une sagesse innée qui se dilue quasi totalement à l'âge adulte. Et cela fait peine. Je reviendrai plus loin sur les vertus innées de l'enfance, que point ne faut trop brider (rappelez-moi à l'occasion qu'il faut que je vous parle des fourmis, vous me rendrez service).

Je vous vois anéantis par la perte de la mallette à outils de pression à laquelle vous étiez si vivement attachés. Je sais, c'est un coup dur. Car alors, si on ne peut rien faire, que faire ? La réponse est là, que je vous livre sans mâcher mes mots : *Rien*.

Par ce « Rien », je plante le doigt dans le thème central de l'œuvre, c'est-à-dire la philosophie, ni plus ni moins. Et nous renouons simultanément par ce « rien » avec le concept dit « d'économie d'énergie » dont je vous entretenais plus haut, vous voyez comme tout se tient, en une botte de paille bien ficelée. Je suis bien convaincue que l'orang-outang que j'eus l'heureuse fortune de rencontrer en la campagne fourragère du plateau d'Écaudart avait depuis longtemps abandonné sa mallette à outils dans sa rivière natale, au profit de cette seule salade. Salade qui, loin d'être une salade, une coiffure ou un objet de consommation, était un concept, on s'en doute, je ne vous prends pas pour des imbéciles et c'est pourquoi je n'insiste pas.

Cette histoire de fourmis (faites-moi souvenir de vous en parler, vous me rendrez un signalé service) m'évoque irrésistiblement le thème du homard, sur lequel je confesse avoir beaucoup travaillé, sans que cela touche nullement à la névrose. Ne vous tourmentez pas, je tiens mon fil en droite ligne et j'ai l'œil absolument cloué sur la charpente. Quand je dis « le thème du homard », je ne parle pas du homard en tant qu'objet de consommation, puisque ce recueil n'est en rien un livre de cuisine mais un traité aphoristique sur les mystères de l'existence et leurs résolutions. Vous trouverez donc sans peine quantité de recettes pour accommoder le homard dans bien d'autres ouvrages, sans que pour cela votre vie s'en trouve le moins du monde guidée et éclaircie. La consommation d'un demi-homard à l'américaine, si elle nourrit son homme, n'a jamais éclairé qui que ce soit, je peux vous le garantir, je l'ai vu de mes yeux vu. Oui, mon gars. Personnellement je ne consomme pas de homard parce que ma mère y est allergique, mais je ne veux pas vous encombrer avec mes soucis de famille. Je ne mange pas de gambas non plus parce que mon frère ne les endure pas, physiquement ou moralement, je ne sais plus (sans que cela touche à la névrose), mais je brise là car l'histoire de ma famille ne vous regarde pas, encore qu'elle soit dotée d'un génie propre qui justifierait à lui seul la rédaction d'une grosse monographie. À l'occasion, je picore quelques crevettes, sans plus, et ça s'arrête là en ce qui me concerne pour les crustacés. Quant aux mollusques, c'est un blocage complet, alors que ni ma mère, ni mon frère, ni ma sœur n'y sont allergiques. Le mollusque me répugne profondément et je peux m'en expliquer séance tenante car chez moi, comme je ne possède pas d'insu, tout est contrôlé, maîtrisé, rationnel. J'appris d'aventure parmi mes folles études que l'huître présentait sur tout son pourtour une frange de cellules visuelles (l'huître voit-elle du Rouge ou non ? Cela mériterait d'être exploré mais ce n'est pas le sujet, je reste serrée sur ma structure avant toute chose). Et je pris brusquement conscience qu'il m'était impossible d'avaler tout cru un animal *qui me regarde*. Je réussis même, par la force magique du verbe, à en dégoûter à jamais ma sœur jumelle qui en faisait pourtant ses délices dans son enfance. Je ne parvins pas cependant à en détourner mon aîné, en raison de cette fougue qui le rend inaccessible à toute écoute. Car là où il y a écoute, il y a pause, et là où il y a pause, il n'y a plus fougue, la fougue supposant un débit d'énonciation sans interruption aucune. Les conséquences de ce débit sur la vie concrète et l'entourage sont à peine imaginables, mais je ne veux pas vous accabler avec mes tracas de famille. Cette allusion à l'élocution perpétuelle nous conduit en droite ligne d'une part à l'idée d'Éternité, que j'aborderai sans ciller, d'autre part à celle de la Vertu pacificatrice des mots, c'est-à-dire au noyau dur de notre opus, j'ai nommé la guerre et l'amour, et à leur résolution, à chaque serrure sa clef, et j'y reviendrai, si on veut bien ne pas me bousculer. On m'objectera qu'il est loisible de consommer des mollusques cuits. Bien entendu et j'y ai déjà songé, soit dit sans vous froisser, il est inutile de hausser le ton. Mais gober tout cru des yeux morts me paraît encore plus répréhensible que d'avaler des yeux qui vous regardent, pour une simple question d'éthique. La cuisson, s'agissant des mollusques et de leurs yeux, n'est qu'un vil pis-aller. Or comme je l'ai énoncé avec force, «Ruses minables, résultats piteux».

Non, quand je dis le «thème du homard», je veux bien entendu désigner le *concept du homard*, dont vous n'avez jamais entendu parler, et c'est bien naturel, car je l'ai inventé moi-même à l'âge précoce de 17 ans et n'en avais jusqu'à ce jour fait profiter que mes proches, et c'est normal, la famille d'abord. Mais, consciente de la portée universelle de ce traité et de la charge qui m'incombe, pendant que tout le monde s'est barré de droite et de gauche pour baguenauder, ce serait une faute de charpente grave que de faire l'impasse sur ce concept, d'une force de pénétration singulière et propre à résoudre bien des atermoiements. Une minute, je vais fouiner dans ma boîte informatique à la recherche d'un éventuel message de l'homme de ma vie. N'y voyez nulle fébrilité, mais une simple consultation placide et méthodique.

Oui, j'en ai un, et je peux bien vous confier, au point d'universalité où nous en sommes rendus, que ce n'est pas ce que j'espérais, c'est rien de le dire. L'homme de ma vie, à qui je laisse une liberté qu'on peine à imaginer (et soyez assurés qu'il en use, comme quoi la liberté n'est jamais un bienfait accordé en pure perte et c'est là un point très réconfortant), n'en est pas moins d'une austérité peu commune dotée d'un génie propre, et s'amuse à me barrer la route par mille astuces inopinées, et tout particulièrement dans ce message. Vous voyez que quand je parlais de fiasco, c'était peu dire. Que cette péripétie surtout ne vous ôte pas la foi du charbonnier que vous avez d'ores et déjà placée dans ce recueil sur les emmerdements de l'existence et leur résolution. Car ainsi que je l'ai déjà exposé, me semble-t-il, il en faudrait bien plus que ce message malencontreux pour me déstabiliser. Vous pensez que, peut-être, j'en ai les mains qui tremblent, une boule d'angoisse qui monte du plexus jusqu'à la gorge, les mâchoires serrées comme un étau? Point. L'adversité passe sur mon cœur aguerri comme le zéphyr de la toundra sur le bunker de Normandie (ne croyez pas non plus que je fais sur cette *toundra* une fixation monomaniaque à caractère obsessionnel qui frôlerait la névrose, point. À ce propos, faites-moi souvenir de vous entretenir des fourmis, vous me donneriez un sérieux coup de main). Point. Je me redresse, si tant est que j'aie été le moins du monde abattue, ce qui reste à prouver et je vous y mets au défi, mais ne nous énervons pas plus que de raison, il est inutile de hausser le ton. Je me redresse et j'économise savamment mon énergie, selon le concept devenu fameux de «l'orang-outang». Je me redresse et je reprends mon joug de bœuf un instant égaré, je vous demande seulement quelques minutes de patience le temps que je réponde flegmatiquement à l'homme de ma vie, qui est possiblement en passe de cesser d'être l'homme de ma vie (et que nous appellerons dorénavant plus sobrement «l'homme» tout court, pour plus de sûreté, ça vaudra mieux, rien ne sert de s'emballer à la hâte), que je lui réponde tambour battant sur un ou deux points qui ne laissent pas de me tracasser, le tout en économisant mon énergie précieuse que je dois tout entière à ce recueil.

Voilà qui est fait, cinq pages tous comptes faits, une vétille, et n'allez pas vous figurer que je suis pour autant vacillante. La route m'attend, avec sa charrette de merde et de solitude compactes et son cheval de labour harnaché, et je les tire tous ensemble avec une détermination sans faille, au service de l'humanité tout entière. Vous pensez bien que ce n'est pas parce qu'UN SEUL type s'obstine à me débouter que je vais renoncer à me faire entendre des six milliards d'humains compatissants à ma peine qui m'écoutent sur cette terre. Ne t'inquiète pas mon petit gars, il en faut bien d'autres pour m'émouvoir, crois-moi. De toute façon, ta mère, de par son châssis d'acier, a toujours été convaincue qu'on l'aimait éperdument quand bien même on lui dit le contraire, et c'est là sa grande force. Confiance, narcissisme et affirmation de soi, j'ai toujours eu l'heureuse fortune de posséder ces qualités dès mon enfance. L'affolement, l'angoisse, l'anxiété, le doute me sont proprement inconnus. Je me ris des contradicteurs, des débouteurs et des emmerdements. La contradiction n'est qu'un art mineur, une anodine fanfaronnade destinée à soulager quelques orgueils malmenés par la magie de mon verbe. Les rebuffades ne sont que fétus de paille dansant au vent, des distractions pour velléitaires, dont je me ris. Ce qui compte, c'est le sol, la terre, le solide, et j'ai l'œil rivé dessus. De même que sur ma charpente et je n'oublie pas le concept du homard en route, que nul ne s'alarme. *Je n'oublie rien*, que cela soit dit une bonne fois pour toutes, cela nous gagnera du temps à tous, et comme j'ai dit, économiser l'énergie est formellement vital. J'attends simplement un coup de fil de ma sœur, tout en devisant avec vous, pour la mettre séance tenante au courant de la teneur du dernier message de l'homme et recueillir son avis d'artiste, mais cela ne présente aucun caractère d'urgence, croyez-le bien.

J'espère que vous savez tous à quoi peut bien ressembler un homard dans ses grandes lignes, ça nous épargnera également du temps, et que vous êtes tous au courant que cet animal, de la classe des Crustacés (à ne confondre à aucun prix avec les Échinodermes et les Agnathes car le homard est un Arthropode, comme l'araignée, absolument, mais je ne veux pas vous ennuyer avec cet esprit des Sciences qui me talonne), possède une carapace d'une solidité à toute épreuve, sans même parler des pinces. Je vois qu'avec ces « pinces » le souvenir vous revient et que vous commencez à bien visualiser la bestiole. Ce que vous ne savez sans doute pas en revanche c'est que, ainsi formidablement protégé contre toutes les menaces de la vie, le homard lézarde à longueur de journée sans se soucier des prédateurs. C'est à peine si, comme le lion, il guette. Pour tout vous dire il ne guette pas, il se fout de tout, il musarde peinardement au fond des eaux en s'empiffrant et en copulant à date fixe dans une indifférence courtoise, sans crainte du froid ni du danger, ni des cachalots ni des étoiles de mer, ni des papillons de nuit ni des bonbonnes de gaz ni de rien. Évidemment, ça fait rêver. Mais aussitôt je vois vos mines envieuses et je tire la sonnette d'alarme en criant «Halte-là, malheureux!» Car le homard, de par sa nature et de par son armure à toute épreuve, n'a pas évolué d'un iota depuis le Carbonifère, au bas mot depuis 250 millions d'années, et je suis coulante. Et quand je dis 250, je ne vous brade pas un chiffre en l'air. J'insiste pour que vous vous figuriez bien la chose: tel vous connaissez le homard, tel il était, tel il sera toujours. Alors que l'hominidé, apparu dans un état d'imperfection pitoyable il y a seulement 4 millions d'années, l'hominidé, démuni de tout avantage, doté de cinq sens plus lamentables les uns que les autres en comparaison de ceux du premier insectivore venu, mauvais coureur, mauvais pisteur, mauvais nageur, mauvais grimpeur, à la peau molle et fragile, dénué de défenses, de griffes, de cornes, de sabots, enfin bref, l'hominidé, la plus minable des créatures terrestres, inapte à sa défense et proie toute désignée pour le plus pleutre des prédateurs, effectua en un temps record une évolution foudroyante qui le mena là où on sait, à ce stade animal accompli, j'ai nommé l'Homme. Car l'hominidé, terrifié par les mille dangers l'assaillant, dut s'adapter en vitesse pour survivre et il ne le fit pas avec le dos de la cuiller, croyez-moi. Il se redressa sur sa route solitaire semée d'embûches, il libéra ses mains laborieuses, allégea sa nuque pensive, laissa grandir et éclater toute la puissance de son cerveau et regarda le monde face à face, avec sa grosse tête dominant l'univers, bourrée d'idées et d'atermoiements. On ne sait si c'est ce qu'il a fait de mieux mais les faits sont là, imparables: surprotection égale homard égale immobilisme égale stagnation; prise de risque égale hominidé égale mouvement égale évolution.

C'est là le concept novateur dit «du homard», et l'on voit qu'on scrute ici du doigt, en amour comme en philosophie, un point crucial de notre thème. L'alternative reste ouverte, ce n'est pas à moi de vous dicter votre conduite tant mon respect de la liberté d'autrui est proprement inconcevable.

Si vous choisissez la protection, l'abri, la fermeture, le claquemurage hautement sécurisant d'une épaisse carapace de principes, sachez que la route ne vous offrira guère de surprises, de changements, de variations et bien de la lassitude, mais en contrepartie nul risque et nulle anxiété car telle est la vie qu'elle donne d'un côté ce qu'elle prend de l'autre.

Si à l'inverse vous optez pour le mouvement, la modification, l'adaptation, la souplesse, voire les possibles chamboulements et les révolutions, alors repoussez loin de vous toute idée de refuge et sachez que la menace du chaos est là, toujours imprévisible, car telle est la vie qu'elle prend d'un côté ce qu'elle donne de l'autre. On pourrait épiloguer ici sur les choix politiques des êtres humains, qui procèdent en droite ligne du « concept du homard », mais je ne veux vexer personne et ce recueil d'aphorismes ne se veut point commandement mais guide. Et là-dessus je tiens ferme, en dépit des tentations. Car en outre, si je devais trouver à l'issue de ce recueil toute l'humanité conformée à mon image, je m'emmerderais considérablement tant la variété humaine est source de joies et d'engueulades et, plus grave, je ne me trouverais plus d'ennemis, ce dont je serais fort embêtée. Aussi libre à vous et j'aimerais bien soit dit en passant que ma sœur songe à m'appeler, rapport à ce petit message malencontreux dont je souhaiterais l'informer, mais cela ne présente aucun caractère d'urgence et je ne m'énerve pas et j'économise mon énergie. Mais las ! Ma sœur, ma propre jumelle dont j'eus la bonne fortune de partager l'étroit habitacle au cours de neuf mois de félicité sans tache, erre à l'heure où je vous parle de sien café en sien café à la recherche de quelque nourriture terrestre et esthétique, sans se douter le moins du monde que je reçus un message pour le moins malencontreux, c'est rien de le dire. Mais ne t'en fais pas mon petit gars, maman tient ferme face à l'adversité, dont elle se rit, et quant à toi, continue de dormir du sommeil du juste pendant que je rédige à ton profit ce traité, tel le bœuf attelé sous le joug d'épaule tirant sa foutue moissonneuse-batteuse. Engin que l'on nomme une « moissebatte » sur le plateau d'Écaudart, il est aussi bien que vous le sachiez, ça vous gagnera du temps d'une part et ça vous sauvera l'honneur d'autre part pour le cas probable où vous seriez véhiculé par un chauffeur de taxi vietnamien inaccoutumé qui en saurait très long sur les machines agricoles, sans même parler du XIXe siècle français. Ce jour-là vous me bénirez, je le sais.

Aussi, car du regard je ne lâche pas mon armature, libre à vous de choisir votre voie, Homard ou Hominidé, en toute connaissance de cause (alternative majeure qu'il m'arrive d'abréger sous la forme « H/H » par souci d'économiser l'énergie). S'agissant d'amour, c'est bien souvent qu'un tel choix entre Protection et Risque se pose à l'être humain. Et le laisse pantelant d'hésitation. Le recueil vous éclaire et vous guide : le mariage stable, avec engagement d'amour à vie (on reviendra sur ce concept de « l'amour à vie », croyez-moi, ça ne va pas traîner), avec un être stable dans un lieu stable, dont l'immuabilité se voit garantie par une profession stable, autorisant une progéniture psychologiquement stable est évidemment une tentation terrible. Sachez cependant dans quoi vous vous avancez alors : dans la *stabilité*. J'ai lâché le mot, il est brutal, j'en ai conscience, mais je vous ai prévenus d'entrée que je n'irai pas dans ce recueil avec le dos de la cuiller (je préfère, comme un mien confrère, écrire « cuiller » plutôt que « cuillère » et c'est là ma seule concession à la voie arthropodienne, j'ai nommé celle du homard non évolutif. Si possible, j'aimerais que « cuiller » demeure écrit de la sorte pour toujours et jusqu'à la fin des temps, comme on le fait depuis le Carbonifère et ce dans tous les pays du monde. Pour le reste, tout peut évoluer car c'est à mon sens l'humaine nature, mais c'est là mon idée toute personnelle. En revanche s'agissant de la cuiller, je dis « Halte-là ! » et je tire la sonnette d'alarme, laissons ce mot tel qu'il est, il est parfait comme ça). Sachez dans quoi vous vous avancez alors : dans la *stabilité*. Hors le mouvement, point de risque, point de surprise, point d'inquiétude, donc point d'aiguillon, donc point de désir, et donc à moyen terme plus d'amour. On retrouve dans ce principe de stabilité les mêmes effets anesthésiants que dans celui du surdosage, dont je vous ai entretenus plus haut, vous voyez comme tout se tient maillon par maillon et s'enchaîne rigoureusement comme une botte bien ficelée. La stabilité fait imploser l'amour en douce poussière, lentement mais inexorablement, il est essentiel d'en être averti, et le transmue en une morne indifférence ou en une tendre amitié, ce qui n'est certes pas à négliger par les temps qui courent. En échange, sécurité, protection, éloignement des prédateurs, quiétude de l'esprit et point de solitude compacte mais une solitude allègre, à l'occasion.

L'autre branche de l'alternative, je vous la confie sans traîner, je n'ai pas que ça à faire, je dois rendre tout le bazar pour le 22 de ce mois : union libre avec un être instable, sans engagement d'amour à vie bien au contraire, dans des lieux variables éventuellement séparés, chacun sous son toit, avec une série de boulots instables assortis de revenus chaotiques, autorisant une progéniture possiblement déstabilisée par cette incessante mobilité des personnes, des biens et des espaces. En échange, autonomie absolue, libre disposition de soi-même, évolutions, enrichissements, surprises, transformations, éblouissements. La tentation est forte. Mais je dis « Halte-là ! », sachez dans quoi vous vous engagez : dans l'*instabilité*. Le mot est rude, je le sais. Mais nous ne sommes pas là pour couper les cheveux en quatre mais pour débroussailler une bonne fois pour toutes les mystères de l'existence et particulièrement de l'amour et de la philosophie, et je n'ai pas l'intention de flemmarder en route. L'instabilité, oui, avec son cortège d'anxiétés, de peines et de joies, de solitude compacte, d'angoisses d'abandon et, partant, de demandes, de prières, d'injonctions, et sa mallette à outils de pression (souvenez-vous-en, on n'a plus le temps de répéter). Dès lors que surgit la fatale mallette, l'amour est mis en péril et nous voilà sur la voie de sa destruction.

On voit donc que le choix est large et copieux : avec la stabilité, partant, plus d'amour. Avec l'instabilité, partant, plus d'amour. On hésite. On atermoie.

N'espérez pas l'impossible, il n'existe pas de moyen terme ni de juste milieu, c'est l'un ou c'est l'autre (on reviendra sur cette notion fantasmatique de « juste milieu »). Le choix est rude mais c'est la Vie, dans les deux cas. Car n'oubliez pas que c'est la Nature elle-même et non pas moi qui a jugé bon de créer le homard comme l'hominidé, et que tous les deux vivent. Car ainsi est la vie, faite d'extrêmes (et là-dessus je reviendrai mais faites-moi penser à vous toucher un mot des fourmis, ça me rendrait un fameux service).

Je vous vois dans l'embarras et cela me peine. Ne cherchez plus, je vous guide, tel le bovin de trait remorquant son charroi de merde sur son sentier de lumière. Il est à présent trois heures vingt du matin mais comme je vous l'ai exposé plus haut, je ne prendrai nul repos avant d'en avoir terminé avec cette foutue affaire de traité que ma conscience m'a collée sur le garrot, surtout que j'attends un coup de fil de ma sœur rapport à ce foutu message qui, plus je l'oublie, plus il m'énerve. Mais les artistes, de par leur nature, leur kit de construction et leur indolence esthétique, sont volontiers portés à différer les questions de la vie pour les remettre à plus tard, tout comme les courses et le rangement des placards. Si bien que l'impatience où je me trouve de confier à ma sœur la teneur de ce malencontreux message ne peut pas être partagée, pas même par cette transmission de pensée dont nous usons à l'occasion sans gêner les amis, car elle n'y verrait quant à elle nul caractère d'urgence. Cela n'en présente en effet aucun et ne m'affecte en rien, aussi c'est bien volontiers que je tire un trait sur la chose et ne m'en soucie plus. Aussitôt dit, aussitôt oublié, il ferait beau voir que le fâcheux message d'UN SEUL type me fasse perdre mon cap. Ne vous tourmentez pas, je veille sans relâche sur mon fil et je me souviens très bien vous avoir laissés dans la mouise. Soit dit en passant, si ma sœur et moi devons avoir recours à cet antique moyen de communication qu'est la transmission de pensée gémellaire, c'est que ma propre sœur est l'un des derniers êtres en cette ville de Paris à ne pas posséder de téléphone portable, tant sa propension à louvoyer pour différer tout surgissement de l'événement est grande. Car l'événement, et en particulier s'agissant de l'amour, est tout à fait contraire à la dérive esthétique et à l'élaboration d'une œuvre picturale bien comprise. En soi, l'événement factuel est tenu par l'artiste pour une faute de goût. Ce qui me contraint à communiquer par la pensée avec ma propre sœur dont l'inaccessibilité latente s'oppose fortement à ma ferveur pour le rangement immédiat des choses. Mon frère non plus n'a pas de téléphone portable car l'intrusion de l'événement est un facteur majeur d'interruption de sa fougue, et il ne peut en aucun cas se le permettre. Pour mon aîné, l'événement impromptu agit comme un seau d'eau sur l'incendie et c'est pour lui une faute comportementale. Ceci pour signaler au passage que je me trouve parfois assez démunie en matière de communication avec ma fratrie, mais il est possible que ce refus du portable leur apporte quelque repos, puisqu'il advient que la magie de mon verbe les fatigue de-ci, de-là et je ne leur en veux pas. Car ils possèdent chacun leur génie propre, de même que ma mère qui illustre le cas intermédiaire et singulier de posséder un portable et de ne jamais l'allumer. Quant à l'homme de ma vie (je reprends bien malgré moi cette appellation un peu pompeuse afin qu'on ne le confonde pas avec « l'homme », c'est-à-dire l'humanité tout entière, ce qui serait regrettable), il possède un portable, allumé, mais il ne s'en sert pas pour m'appeler, ce qui est encore autre chose et je préfère ne pas y penser. Non pas par lâcheté, certes non, car je regarde la vie bien en face, mais parce que j'ai tout bonnement autre chose à faire avec ce foutu traité à boucler pour le 22 du mois. C'est dire si je ne suis pas très aidée en matière de communication mais, néanmoins, muettement épaulée par ma famille et soutenue par l'attendrissant sommeil de mon fils et de mes trois neveux qui dorment quiètement, car ils savent qu'ils peuvent compter sur leur mère et leur tante, modèle de la constance et de la bravoure, je me réattelle telle la bête de somme au harnais du joug pour vous tracer ce sillon de clarté dans les ténèbres de la vie mystérieuse.

Vous voilà affolés devant l'alternative « H/H » que propose la vie s'agissant de l'amour et je vous dis tout de suite « Halte-là ! Tranquillisez-vous sur l'instant » car j'ai la réponse, évidemment, qu'est-ce que vous croyez. Vous tremblez devant un choix à faire, c'est tout naturel. Je vous réponds sans prendre de gants, inutile de trembler car vous n'avez en réalité *aucun choix*. Voilà qui est nettement plus réconfortant car la question qui vous affolait tant ne se pose plus.

Aucun choix en effet car, de par votre nature personnelle, la vie se chargera de vous embarquer sans vous demander votre avis dans la voie de la stabilité conservatrice ou bien de la mobilité libertaire. Ne vous faites donc aucun souci, ça se fait tout seul, sans même que vous ayez à réfléchir, ce qui est bien commode et épargne de l'énergie. Cependant l'honnêteté m'oblige à vous dire que ceci n'est qu'une étape.

Car la voie de la stabilité détermine, comme je l'ai exposé avec clarté, une implosion sourde de l'amour, le transmuant en un compagnonnage poli ou en une douce amitié.

De deux choses l'une. Soit vous trouvez satisfaction dans cette transmutation et je ne vous jette pas la pierre, tant l'amour représente une somme d'emmerdements et de perte d'énergie proprement inadmissible. Mais en ce cas, s'agissant de l'amour, vous n'êtes plus concerné et bon vent, et vous pouvez sauter dans ce recueil les passages qui en traitent pour réserver votre esprit libéré aux affaires de la guerre, de la philosophie et autres mystères de la vie (faites-moi penser aux fourmis, ce serait gentil de votre part).

Soit vous n'êtes pas satisfait par cette transmutation et, déçu, en quête inlassable d'amour, vous faites exploser votre union stable pour aller voir ailleurs, ou bien vous la ménagez tout en allant voir à côté, c'est équivalent, et vous tombez aussi sec dans la position seconde que j'ai décrite, à savoir l'instabilité, la liberté, et l'angoisse. Donc, s'agissant de l'amour, il ne nous reste plus à la vérité qu'un seul choix, ce qui ne s'appelle plus un choix mais une fatalité : *le chaos*.

Déjà nous voilà tous plus apaisés, la piste se dégage. Ne vous alarmez pas plus que de raison, je tiens mon fil et je vous dirai les choses qu'il faut savoir sur ce chaos, mais qu'on cesse un peu de me bousculer, s'il vous plaît. Chaque chose en son temps et les bœufs de labour seront bien gardés.

J'ouvre une parenthèse, une fois n'est pas coutume, pour signaler que ma sœur a appelé tout à l'heure d'un sien café, suite aux nombreuses impulsions de pensée que je lui adressais, mais cela sans urgence de ma part et sans bousculade, soyez sans crainte. Je vous étonnerai en vous disant qu'elle n'a pas trouvé tragique le contenu de ce malencontreux message. Alors qu'il est catastrophique, c'est rien de le dire. Pour bien comprendre sa réaction, de portée universelle, et c'est à ce titre uniquement que j'en parle et non point parce qu'elle est ma jumelle, je dois d'abord vous confier que ma sœur possède son génie propre, indiscutablement. Que par ce fait, de par sa nature et son boulot à faire, qui est de construire picturalement une vie d'apparence plus que de réalité, elle a une inclination certaine pour les amours modérées plutôt qu'excessives.

Je profite de l'intrusion de cet adjectif « modérées » pour vous rappeler que « Amour », « Délice » et « Orgue », noms communs masculins, passent brusquement au genre féminin lorsqu'ils sont au pluriel, ce qui ne laisse pas de tracasser. Au contraire de la Dorade femelle (Poissons, Famille des Sparidés) qui, sur le tard, de par ses gonades indifférenciées, peut passer à la forme mâle, ce qui est assez souciant, je vous le dis tout de suite afin de bien dégager l'essentiel. Quant au ver de terre, puissant socle du concept de l'apparence, il est un peu les deux tout au cours de sa vie, embrouillé en parties mâles et femelles le long de son corps mou, ce qui lui permet d'éviter toute forme d'amour et ses emmerdements dès l'instant où il se débrouille parfaitement sans aucune aide extérieure. D'où absence de copulation, absence d'angoisse et absence de guerre, d'où une immense économie d'énergie qu'il peut consacrer à fouir inlassablement et aérer l'humus, une chance immense pour nous. Car si le ver de terre avait des peines d'amour, croyez bien qu'on n'en serait pas là où nous en sommes sur cette terre. Rien ne vivrait, rien ne bougerait. D'où il ressort que le piédestal de la vie repose sur un néant d'amour, cela fait peine en même temps que cela donne à réfléchir. Si je vous dégage rapidement cette notion, ce n'est pas que j'oublie ma sœur, pas du tout et je dirais même au contraire. Car ma sœur, tout occupée à fouir de son pinceau l'univers de la vie afin d'*aérer le réel,* sans quoi l'existence ne serait pas possible, se voit obligée de tenir à distance les échauffements intoxicants de l'amour et de savoir les attiédir à l'occasion et les glisser prestement dans son portefeuille (je veux dire dans son fourre-tout car ma sœur, vous vous en doutez, ne possède pas plus de portefeuille, élément hautement factuel, que de portable). C'est donc de par son destin d'artiste qu'elle ne prend pas au tragique un malencontreux tracas sur la route de l'amour. N'en inférez pas chez ma sœur une indifférence aux sentiments, point. C'est sa vocation qui commande cette nécessaire distanciation et qui fait sa grandeur. Voyez comment l'homme préhistorique, sitôt debout dans sa caverne, s'empara d'un pinceau, occupation badine proprement hallucinante quand on a connaissance des dangers mortels dont il était constamment cerné, tigres aux dents de sabre, lions des cavernes, mastodontes. Certes, l'homme préhistorique s'employait de-ci de-là à tailler quelques pointes de flèches pour s'occuper de ces bestioles mais avant tout, sitôt campé sur ses pieds nus et sauvages, le voilà qui se fabrique un pinceau en poil de martre préhistorique, qui se pile son ocre et son charbon de bois, et allons-y que je te tague sur toutes les parois des grottes, et pas n'importe comment, croyez-moi, sans crainte du froid ni du danger ni de la mort. Que fait alors l'homme préhistorique ? Il baguenaude, peut-être ? Il musarde ? Il feignantise ? Certes non. Il troue le réel, qui est incapable de se trouer tout seul, tel l'humus. Par ces galeries, il aère, il dilate, il perfore, il permet à l'esprit d'émerger, tel le végétal libéré, et à la vie d'être vivable. Méditons cette leçon. Depuis que je vous entretiens, l'aube s'est levée sur Paris-ville lumière et la journée est déjà pas mal avancée et je n'ai pris nul repos, qu'un morceau de pain sec et du thé. Ne vous figurez pas que cet état d'hébétude altère un seul instant ma vigilance. Je suis mon sillon sans barguigner. Et il est temps, grand temps que je réveille ma sœur, tant pour sauver le peu de discipline sociale qu'elle s'ingénie à malmener que pour qu'elle aille fouir de son pinceau la désolante compacité du réel. Voici pourquoi ma sœur minorait d'un œil paisible ce malencontreux chaos de ma vie sentimentale, qui ne laisse pas cependant de m'inquiéter sauvagement.

Oui mon garçon, car telle est ta tante, qui perfore de son pinceau de lumière la densité du réalisme asphyxiant, et c'est la raison pour laquelle elle a besoin d'une quantité de sommeil hors normes, *ne juge jamais autrui à la hâte*, par principe et surtout s'agissant de ta tante, et de ton oncle aussi. Quant à ma mère, elle possède son génie propre, dont je vous ai peut-être déjà touché un mot, je ne sais plus. S'agissant de l'amour, elle

adopte volontiers une attitude circonspecte, examinant la chose d'assez loin, avec la prudence qu'on revêt pour lire un tract émanant d'une secte d'hallucinés. C'est que ma mère, dotée d'une constance de tempérament hors normes, juge des choses avec le clairvoyant discernement de l'aigle posé sur son piton, portable éteint. De ce piton, où elle éleva avec la tendresse du travail bien fait une portée de trois aiglons de trempe exceptionnelle, personne n'a jamais pu la déloger, et personne n'y songe. Si bien que chacun sait, de par le monde, où est ma mère, ce qui est fort rassurant, et ne croyez pas que je vais vous donner son adresse, je me la garde par-devers moi. De ce piton, rien n'altère son impassibilité, y compris s'agissant de l'amour et de la philosophie, hormis quelques vétilles tels les horaires de train, la nourriture en suffisance ou quelques logarithmes et droites de régression susceptibles de-ci de-là de lui résister quelques minutes. Tel est l'avantage du *concept de piton*, et de ma mère dessus. J'estime préférable de vous informer que ce genre de piton, tel le Graal, ne se trouve pas sous le pas d'un cheval, inutile que vous gâchiez des années à retourner tout le pays en de vaines recherches. Il est vrai que ma mère a provisoirement délaissé ce piton pivotal en cette semaine pascale afin d'aller s'occuper des pignons ouest et est de la vieille ferme familiale sise à Villiers-d'Écaudart, et qui constitue son deuxième piton, d'où personne non plus n'a jamais pu la déloger. Les conséquences de cette douce immuabilité maternelle sur la vie pratique sont proprement indescriptibles mais je ne veux pas vous accabler plus que de raison avec mes embarras de famille.

Vous pensez peut-être que d'aventure en commentaire, j'ai perdu le fil de l'œil de ma charpente. Point, j'ai le regard chevillé sur sa poutre maîtresse, ne me prenez pas pour une gourde qui se laisserait distraire pour un oui pour un non, tout empêtrée dans ses tracas de famille et d'amour. Ce n'est pas mon genre, mettez-vous ça dans la tête une fois pour toutes. J'ai clairement le souvenir de vous avoir dit que la quête de l'amour ne menait qu'à une seule voie, le chaos, et que cette assertion vous avait véritablement soulagé à un tournant crucial du raisonnement.

Livré à ce chaos, à cette angoisse, à cette incertitude qui guette à chaque pas dans cet amour qui n'est jamais acquis, le pli est vite pris de vous saisir fiévreusement de votre mallette à outils de pression (je répète pour les amnésiques : coup de téléphone, lettre, sollicitation, invitation, demande, prière, récrimination, reproche, supplique, exigence, revendication, sommation, interdiction, chantage, ultimatum et enfin, commandement, aux effets variables selon les paramètres de répétition et de cadence), dans l'espoir innocent d'affermir votre affaire avec quelques bonnes insistances bien senties. J'espère, car je crois avoir été très ferme sur ce point, que vous aurez compris que tout usage du contenu de la mallette est une fatale erreur à l'exception, ai-je dit, de quelques appels et courriers savamment espacés. Hors cela, pas de salut.

Mais reprenez espoir et faites-moi une confiance aveugle, vous qui vous êtes égarés sur les pentes glissantes, car à chaque clef sa serrure, et je ne peux pas vous jeter la pierre puisque vous n'aviez pas lu ce recueil. En revanche, *après* avoir lu ce recueil, force vous sera d'assumer la responsabilité de vos déboires mais je ne vous jetterai pas la pierre non plus, de par mon heureuse nature qui me porte à pardonner à autrui et à passer l'éponge, et de par mes propres déboires aussi.

Bien accrochée sur mon faîtage, je dégage sur l'instant deux possibilités et quand je dis « deux », je ne vous jette pas un chiffre à la légère.

Soit vous n'avez pas encore touché à la mallette, grâce à Dieu, de par votre nature hors du commun ou de par votre valse-hésitation, et en dépit du désir qui vous taraudait. À vous je dirai, ne cédez pas à la tentation, ne bougez pas, respirez par le ventre, les mains sur les genoux, en fixant un point sur le mur, tenez ferme, allez boire un coup mais ne touchez pas à cette foutue mallette. Que faire alors ? me direz-vous. *Rien*. Et par ce « rien », on touche du bras notre aventure centrale de la philosophie. Car ce « rien » qui n'a l'air de rien est le rien qui vous sauvera la mise, faites-moi confiance. Attention, je crie « Gare » ! Ne mimez pas le « Rien », pas plus que la désinvolture lorsque vous attendez le

bus (le métro, la pirogue). Car un rien mimé cesse d'être un rien pour s'incarner en un faux rien, ce qui n'est pas rien et qui est même énorme. Travaillez, prenez de la peine, et cultivez ce Rien à l'état pur, sans engrais ni artifice. Car le véritable Rien est tout et, loin d'être un rien, il est un plein. Ne vous énervez pas, je répète. Ne rien faire, s'agissant d'amour, c'est vous remplir, alors que tout faire de manière débridée avec cette désastreuse mallette vous vide aussi sûrement qu'un tuyau percé. D'où il ressort que le rien est le plein et que le tout est le vide, et où l'on voit qu'en matière de philosophie je n'y vais pas par quatre chemins. Avec ce rien, avec ce plein, ajoutez l'avantage d'une immense économie d'énergie qui vous sera utile à l'occasion, sans abuser jamais. Songez à cette salade, toujours, ne l'oubliez en aucun cas, elle est votre bouée de sauvetage.

Soit, et c'est notre deuxième cas de figure, vous avez déjà touché à cette foutue mallette, et je parle ici pour 98 % d'entre vous, d'où l'universalité de mon propos. Il est alors urgent d'intervenir (encore que ma sœur vous conseillerait de tout laisser choir sur-le-champ, mais ma sœur est ma sœur, un cas unique de par son fouissage du réel, et je ne veux pas vous perturber avec mes ennuis de famille). Si dans votre précipitation toute dénuée de méditation (songez au parapluie, à la désinvolture de l'homme), vous en êtes déjà rendu(e) aux franges extrêmes, j'entends par là exigences, revendications, sommations, interdictions, chantage, ultimatum (vous noterez que je laisse ces deux derniers termes au singulier et ce n'est pas un hasard, car je n'ai pas d'insu, mais parce qu'un usage unique de l'un ou l'autre de ces outils suffit à tout faire péter), je ne peux pas faire grand-chose pour vous sinon vous conseiller de changer d'histoire et de recommencer à blanc, que diable ce ne sont pas les hommes et les femmes qui manquent sur terre, mais je sais que par ce conseil je suis brutale et n'y vais pas par quatre routes. Changez d'histoire avant que la chaudière n'explose, ça vous laissera au moins de bons souvenirs. Un tel renoncement n'est bien sûr pas aisé car il est dans la nature de l'homme, de par sa nature, d'éprouver quelque fascination morbide pour la catastrophe et de vouloir voir de ses yeux vu l'explosion de la chaudière. Peu importe, dans les deux cas, l'affaire est carbonisée, recommencez tout à sec avec quelqu'un d'autre. C'est drastique, incontestablement, mais je vous avais mis en garde et j'ai donc ma conscience pour moi.

Si en revanche vous n'avez pas atteint la *ligne rouge* et n'avez pas encore franchi le stade de la supplique (qui n'est pas fameux en soi, je ne vous fais pas mes compliments pour votre sagacité, vous auriez dû savoir qu'on ne fait pas rentrer un carré dans un rond), la chose est encore rattrapable, à la limite. Vous voyez que je ne vous barre pas la route. La ligne rouge sépare le suppliant (éventuellement hystérique et harassant, certes) du tyran ou de la mégère, statut que l'on endosse sitôt qu'on est passé de la supplique à l'exigence, ce qui marque un pas fatal. Pour ces derniers, je l'ai dit, je ne puis rien. Pour les premiers en revanche, il est encore possible d'infléchir la situation bien qu'ils se soient fourrés dans un très mauvais pas, je ne vous le cache pas. Tu vois mon garçon comme la vie est compliquée, et prends bien garde à cette sacrée mallette mais ne crains rien, maman ne t'en achètera pas. Encore que même sans mallette tout ne marche pas toujours comme sur des roulettes, ce serait trop simple, mais je ne veux pas vous décourager par avance et ne nous bousculons pas en mélangeant tout, surtout s'agissant d'amour.

Infléchir la situation, oui mais comment, dès lors que vous avez déjà commis bourde sur bourde, avec une répétition et une cadence que j'ignore mais que je devine ? Calmez vos alarmes, je possède les réponses dans ma besace, sans quoi je ne serais pas attelée à ce recueil comme le bœuf de labour d'épaule amarré à sa charpente. À chaque vis son tournevis, à chaque craie son éponge, à chaque plein son vide, j'ai nommé par là le *Principe des contraires.* Et c'est de cela que nous allons user, si vous voulez bien me suivre, fascinés, sur ce sillon de lumière que je tire harnachée à mon bœuf.

Je viens, tout en dissertant avec vous de ces événements cruciaux, d'adresser un second courrier mineur de six pages en réaction au message malencontreux que je reçus hier de l'homme « de ma vie », si vous en avez souvenance (nous allons dorénavant régler la question en suspens en mettant des guillemets à « de ma vie », afin de bien souligner qu'il ne s'agit là que d'un mot, d'un symbole, d'une pochade, et non pas d'une réalité en laquelle on aurait la mauvaise fortune de croire). Quoique hâtif, ce second courrier n'en est pas moins un chef-d'œuvre de pensée méditée, léger dans son expression mais pénétrant dans son contenu, fluide en même temps qu'éclairant, juste, probe, honnête et valeureux, poussant l'ouverture d'esprit jusqu'aux confins du possible, et je dois avouer que j'en attends d'heureux et rapides résultats dont je vous tiendrai informés, non que cela m'obsède en quelque façon mais à seule fin didactique. Vous constatez par vous-même et sur la longueur que le regrettable message de la veille n'a pas altéré d'un pouce la vigueur de mon exposé ni la constance de mon effort. C'est dire si je suis largement au-dessus de tout cela et que je m'apprête à toucher au « Rien » dont je vous entretenais sans atermoyer tout à l'heure, s'agissant d'amour. En attendant cette heure bénie, je croise sans mollir mon fil de trame et mon fil de chaîne et je poursuis avec cette témérité qui m'est chère.

J'ai nommé par là le *Principe des contraires.* Car s'il existe une mallette d'outils de pression (et cette fois je ne reviens pas dessus, on a assez lanterné comme ça), il existe aussi grâce à Dieu une mallette d'outils contraires. Et parlant de Dieu, faites-moi penser à vous toucher un mot de Lui, de même que des fourmis, cela me dépannerait. Je peux d'ailleurs le faire sur-le-champ, ça m'évitera d'oublier et ce qui est fait n'est plus à faire. Et là je tire la sonnette d'alarme et je dis « Halte ! » Que chacun se débrouille avec sa pensée sur Dieu, je ne suis pas là pour commander mais guider, en dépit des tentations. Je me contente de débroussailler une bonne fois les mystères de la vie et je m'en tiens là, sobrement, car la liberté de chacun m'est chère à un point que vous ne pouvez pas même concevoir, et surtout celle de ma famille. Je pense qu'il est acquis pour tous que Allah, Dieu et Le Très-Haut ne sont qu'une seule et même personne, cela nous fera gagner beaucoup de temps, et ce en dépit des guerres aussi inutiles qu'atroces auxquelles se livre en leurs noms l'humanité depuis deux mille ans. Il serait grand temps que cela s'arrête et c'est pourquoi je ne prends pas de gants pour vous affirmer qu'il s'agit du même type et qu'il est donc inutile de s'entretuer, il y en aura pour tout le monde. Des trois monothéismes, n'en faisons déjà plus qu'un seul, cela dégage bien le terrain et nous économise par le même coup énormément d'énergie. J'ai bien conscience pourtant que ce salutaire éclaircissement n'éteindra pas les guerres et que l'homme sera prompt comme l'éclair à se trouver d'autres ennemis et d'autres motifs, voire d'autres motifs pour les mêmes ennemis, car l'homme, de par sa nature liante, s'attache beaucoup à son ennemi et répugne à en changer. Guerres qui, on l'a dit, mais je le répète car le sujet est un tantinet important, ne cesseront que lorsque les hommes se mettront à bavasser entre eux de manière soutenue.

Il tombe également sous le sens qu'il convient de ne faire qu'un polythéisme avec tous les polythéismes, tant il est évident qu'adorer pour les Romains la déesse Sequana qui règne sur le fleuve majestueux de Paris, j'ai nommé la Seine, ou qu'adorer pour les Bantous le dieu B... (le nom m'échappe, ça va me revenir sitôt que j'aurai pris un taxi conduit par un chauffeur vietnamien) qui habite le baobab séculaire de la savane est une seule et même chose. Je ne multiplie pas les exemples, je ne vous prends pas pour des imbéciles. Je ne m'avance pas trop s'agissant des religions orientales, où je ne suis pas bien à mon aise, je vous en parlerai à l'occasion sitôt que j'aurai pris un taxi. Donc voilà l'horizon déjà agréablement démêlé : un seul monothéisme, et un seul polythéisme.

Je vous étonnerai plus en proposant, au point où nous en sommes rendus, de ne faire qu'un seul gros truc avec le polythéisme et le monothéisme tout ensemble. Suivez-moi bien avec la foi du charbonnier. Considérez la religion chrétienne catholique et je prends cet exemple comme j'aurais pu choisir n'importe quel autre, tant est vaste ma culture en ce domaine. Non seulement Dieu n'est pas seul à être adoré, mais il y a son fils, et le Saint-Esprit, plus la Vierge qui est venue s'ajouter par là-dessus.

Ce qui nous fait donc quatre, ce qui est un mauvais début, je ne le cache pas, pour un monothéisme, quelles que soient les arguties avancées par les théologiens du Moyen Âge pour s'échiner à résoudre cette contradiction, arguties que je connais à fond mais je ne veux pas vous lasser avec mon esprit des Lettres. À ces quatre, ajoutez les 360 saints du calendrier plus tous les petits saints locaux prolétaires qui n'ont pas eu le droit de rentrer dans le calendrier, comme ma sœur, mon frère et moi, par exemple, mais je suis bien assurée qu'on a notre petite chapelle quelque part. Ce qui nous fait au bas mot quelque 600 saints à adjoindre aux quatre personnages d'origine. Je ne dis pas ça pour blaguer, j'ai autre chose à faire dans ce traité que de m'amuser. Entrez dans n'importe quelle église, dans n'importe quelle chapelle, suivez n'importe quelle route de campagne, approchez-vous de n'importe quelle fontaine, et que trouverez-vous ? Le culte de Dieu ? Non point. Le culte d'un Saint, d'abord. Autant dire des centaines et des centaines de petits dieux multipliés à travers la campagne chrétienne couverte de son manteau d'églises. Ce qui nous fait un monothéisme à quelque 604 têtes et je suis coulante. On sait d'ailleurs que l'Église eut beaucoup de fil à retordre avec ces saints et la ferveur populaire qui les honorait. Pas de fumée sans feu, elle voyait parfaitement l'embrouille, l'Église. Et à juste titre : quand on dénombre au bas mot 604 divinités, avec leurs cultes, leurs statues, leurs ex-voto, leurs pèlerinages et leurs processions, on ne parle pas de monothéisme, s'il vous plaît. Restons polis. On parle de polythéisme (ne vous inquiétez pas pour mon fil de trame, je le tiens, je ne le lâche pas, je me souviens vous avoir laissés dans les ennuis). C'est ainsi que par la vérité des choses, on peut rassembler le monothéisme et le polythéisme en un seul gros truc unique, que nous nommerons la *Religion*. Voilà qui déjà éclaircit agréablement les choses. L'homme est religieux, et tant l'âme humaine est une et indivisible que c'est partout la même chose, du Tiki des îles Marquises jusqu'à saint Roch et Thor (et si je cite un dieu des Vikings, c'est par pur hasard car je n'ai pas d'insu).

Voilà le terrain au net et reste donc à débattre d'un seul truc, la Religion, et sur ce sujet je ne couperai pas les cheveux en huit si on veut bien ne pas trop me bousculer non plus. J'ai dit que je voulais n'influencer personne et c'est bien vrai, mais ça ne m'empêche pas de donner mon avis. Je suis sceptique, ô combien. Particulièrement à cause du coup des dinosaures. Voilà Dieu qui patiemment, au long de centaines de millions d'années, finit par mettre au point (et je trouve que pour un dieu, des centaines de millions d'années, c'est un petit peu long, mais à chacun son rythme de travail) une branche solide, j'ai nommé les Reptiles, qu'il fait vivre et évoluer pendant encore quelque 200 millions d'années pour leur donner une forme d'adaptation parfaite, des quotas équilibrés de carnivores et d'herbivores, une expansion harmonieuse dans tous les biotopes, terre, mer, air, marais, forêts, lacs, clairières, etc. Parfait donc, rien à dire jusque-là, ça fonctionne. Et tout d'un coup, après tant de centaines de millions d'années d'efforts, que fait Dieu ? Il change d'avis, tout bonnement. Ça ne lui plaît plus, ça ne l'amuse plus, il veut tout recommencer. Alors d'un coup d'un seul, en l'espace de *quelques années seulement* (pour cela il a été rapide), aux environs de 63 millions d'années avant notre ère, il bousille tout, mais alors tout. Ne survivent après quatre années de désastre que quelques misérables animalcules auxquels il va donner une chance nouvelle et dont il va finir par tirer le monde actuel qu'on connaît. Je n'y vais sans doute pas par quatre chemins mais je dis qu'un type qui est capable de regretter ce qu'il a si patiemment élaboré et de tout foutre en l'air sur un coup de tête est un hésitant ou un caractériel. Or un hésitant ou un caractériel ne peut pas être un dieu. C'est l'un ou c'est l'autre. C'est pourquoi, confrontée aux faits et talonnée par mon esprit des Sciences, je me permets de douter vivement de l'existence de Dieu. Ce n'est pas tout. Je vous abandonne un instant pour voir si je n'ai pas de message, mais non, je n'en ai pas et cela n'a, croyez-moi, strictement aucune importance car je m'occupe de Dieu et c'est tout de même un peu plus prenant que l'homme « de ma vie ».

Ce n'est pas tout car tout de même, sous prétexte d'un péché mineur d'origine, j'ai nommé le rapport sexuel inévitablement advenu suite à un désir bien naturel (désir que Dieu avait créé *lui-même*, il serait peut-être temps de s'en souvenir), Dieu a puni l'homme et l'a laissé dans une merde incomparable depuis des milliers d'années. Il a tout laissé faire, tout. Les guerres, les famines, les atrocités, les chagrins, les injustices, l'Inquisition et j'en passe, tout. Qu'il se fâche un jour ou deux, soit. Qu'il boude même une longue semaine, soit. J'accepte, je comprends. Mais qu'il boude depuis maintenant 30 000 ans, je dis que ce n'est pas normal. Un type qui boude depuis 30 000 ans la créature qu'il préfère est caractériel. Ou sadique. Or comme je l'ai dit, Dieu, de par sa nature, ne pouvant être que parfait, ne peut être ni caractériel ni sadique. C'est rigoureusement incompatible. D'où j'en ai déduit depuis mon plus jeune âge et suivant cette inexorable logique qui est mienne que Dieu ne pouvait pas exister. Mais sur ce point (*et sur ce point seulement,* n'allez pas non plus en prendre trop à vos aises), je vous laisse libres et point ne jette la pierre à ceux qui désirent y croire.

Ceci dit, si je suis mon raisonnement et la non-existence de Dieu, il semble bien qu'on se retrouve dans une merde épouvantable, tout seuls abandonnés dans l'univers sans personne pour nous regarder ni même nous punir, et cette solitude absurde, née d'une stupide paramécie qui eut un jour l'idée inepte de se scinder en deux bouts dans l'eau sale alors qu'on ne l'avait pas sonnée, est proprement effarante. On voit qu'on enfonce là du doigt la métaphysique que je vous avais promise en début de cet opus, j'ai nommé le Sens de la vie et j'y reviendrai, croyez-moi, sans barguigner. Mais en métaphysique comme en amour, trop de bousculade nuit et je préfère y aller à mon pas, le regard vissé sur mon labour.

Sans Dieu, le vide absurde du Néant nous fixe de son œil mort et cette vision paraît à peine soutenable. Point. Car j'ai les réponses, ne vous en faites pas, sans quoi je ne me serais pas lancée sans peur du froid ni du danger dans ce traité. Considérez une minute que si Dieu existait et que d'aventure on allait au Paradis (je ne parle même pas de l'Enfer et on voit tout de suite par là qu'on l'a échappé belle), qu'est-ce qu'on ferait ? Qu'est-ce qu'on ferait là-haut, mêlés à des milliards et des milliards d'individus qu'on ne connaît même pas parce qu'ils ont vécu bien avant nous, et qu'est-ce qu'on leur dirait ? Déjà nous peinons, à Villiers-d'Écaudart, à nous lier aux gens d'Éperville, alors qu'est-ce qu'on ferait là-haut, dans cette multitude de morts inconnus propre à susciter l'épouvante et la perte irrémédiable de nos racines ? Sommes-nous logés par pavillons, par regroupement généalogique ou au petit bonheur la chance au milieu d'inconnus ? Je ne suis déjà pas certaine de vouloir retrouver mon arrière-grand-père paternel qui, paraît-il, était un homme sans cœur et sans scrupules, mais je ne veux pas vous assommer avec mes tracas de famille, alors que dire de milliards de milliards d'inconnus ? On se fera des amis, objecterez-vous. Soit, admettons. Mais pour quoi faire ? Pour quoi faire dans l'éternité alors qu'on n'aura droit à aucun péché, pas le droit de jouer aux cartes avec eux, pas le droit de coucher (car là-haut, j'aime autant vous dire que les problèmes d'amour ne se posent pas, c'est pourquoi aussi GRAVE soit le souci d'amour qui vous chiffonne ici-bas, ne chouinez pas, vous êtes beaucoup mieux ici et surtout, ne vous tuez pas, à aucun prix, des fois que le Paradis existe, on ne sait jamais), pas le droit de critiquer, pas le droit de faire la révolution, pas le droit de boire, pas le droit de manger, pas le droit de dormir trop longtemps le matin et j'en passe. Alors concevez la chose à l'échelle de plusieurs milliards d'années et posez-vous la vraie question : mais qu'est-ce qu'on va foutre ? Question en réalité dix mille fois plus angoissante que celle de notre solitude dans le Néant de l'Univers, qui a malgré tout un petit côté intrigant revigorant (assorti d'une touche d'héroïsme qui n'est pas déplaisante). Au lieu que la perspective de milliards d'années passées dans l'inaction absolue et la privation de tous plaisirs n'a absolument rien de revigorant.

Vous voyez donc que, aussi désespérante soit l'idée du Néant, elle l'est beaucoup moins, si l'on veut bien se donner la peine de méditer une minute sans se bousculer, que celle de l'existence du Paradis. D'autant, je vous le rappelle, qu'il n'est pas donné et que si par chance vous évitez l'Enfer, ce qui n'est pas dit, vous passerez de toute façon au Purgatoire et, d'après ce qu'en disent les arguties, c'est encore moins marrant que le Paradis. Donc, pas de regret, allons-y sans barguigner et choisissons le Néant.

Ceci dit, si vous voulez vraiment aller au Paradis, je n'empêche personne, que ceci soit bien clair entre nous car je suis la tolérance même. Et c'est vrai.

À présent que voilà réglée (et vous voyez que ce n'était pas la mer à boire) la question de la Religion et de l'alternative entre le Néant et le Paradis, on se sent l'esprit plus au net et on avance à bride abattue en rampant sur notre charpente, l'œil rivé aux chevrons (il paraît à ce propos que le maçon a achevé la réparation du pignon ouest et du pignon est, c'est une bonne nouvelle, mais que des infiltrations se font jour au flanc du mur nord et moussu, ce qui ne laisse pas de m'inquiéter mais je ne veux pas que vous vous fassiez du souci avec ça). Je profite de cette césure dans l'architecture impeccable de mon exposé pour vous abandonner une minute, une fois n'est pas coutume, aux fins d'aller consulter mes messages.

Je n'en ai pas et cela me surprend, mais ne vous tracassez surtout pas pour moi, je plane à des lieues au-dessus de ces microscopiques aléas de la vie. Je me rappelle parfaitement où je vous ai laissés, dans la mouise. C'est-à-dire, s'agissant d'amour, dans cette frange où vous avez sans doute commis l'irréparable mais où il est peut-être encore possible d'intervenir, par le sain *principe des contraires,* et grâce à la mallette *anti-pression* qui contient maints outils propres à contrer, voire à annuler dans le meilleur des cas, les dégâts que vous avez commis en usant inconsidérément de votre mallette à outils de pression. Mallette dont j'espère que vous vous êtes débarrassé pendant que je vous entretenais de la Religion, en la jetant, lestée de vingt kilos de ciment prompt aux pieds, dans les eaux de la Seine, du Nil, du Congo, de l'Amazone, du Missouri, d'une oasis ou d'un lac glaciaire, selon le lieu où vous avez la bonne fortune d'habiter. Toute eau est bonne pour engloutir la fâcheuse mallette et on ne fera pas les difficiles. Si par quelque heureux coup du sort vous êtes issu(e) d'une région sans eau, comme l'est par exemple et entre autres le plateau d'Écaudart, balancez-la dans une mare aux vaches ou dans la citerne, ça marche aussi bien, l'essentiel étant qu'elle ne soit plus là, tentatrice, à portée de votre main.

Tu vois mon garçon comme ta mère peut être radicale, mais sois assuré que c'est pour le bien de tous que j'impose des mesures aussi draconiennes.

Occupons-nous à présent sur-le-champ de la mallette à outils d'anti-pression, que vous ne devez sous aucun prétexte balancer dans la citerne, surtout ne confondez pas et mesurez bien vos gestes, il y va de votre bonne fortune en amour, ne blaguez pas avec ces choses-là.

Si vous ne trouvez pas parmi vos affaires la mallette à outils anti-pression, pas d'inquiétude, c'est normal. C'est tout simplement que vous ne l'avez pas. Car si tout le monde possède à l'état naturel la foutue mallette à pression, rares sont ceux qui ont la bonne fortune de détenir la mallette à anti-pression. Mais comme depuis le début de notre charpente je ne veux pas m'adresser à une caste de privilégiés qui auraient tôt fait de coiffer la casquette et la mitrailleuse pour porter la bonne parole, j'insiste avant tout pour mettre chacun sur cette terre à égalité de moyens. Si vous n'avez pas la mallette, ne vous affligez pas outre mesure, car j'ai la réponse, cela va sans dire : fabriquez-la vous-même, point n'est besoin d'être artiste. Cela vous demandera du temps, de la patience et de l'effort, et c'est là que toute l'énergie que je vous supplie d'économiser depuis le début de cet amical entretien vous sera d'un inestimable secours. Car la mallette anti-pression ne se construit pas en un claquement de doigts. C'est long, c'est pénible, c'est même décourageant parfois, vous avancez de dix mètres, vous reculez de trente, je ne vous le dissimule pas, car je ne crois pas bon au point de vérité où nous en sommes rendus d'y aller par quatre chemins. Et ne vous étonnez pas de la difficulté rencontrée car n'oubliez pas le concept dit « de l'anneau et de la clef », selon lequel il est infiniment plus facile de défaire que de faire. Cet acte ne va donc pas sans une touche d'héroïsme et c'est pourquoi j'y fis allusion brièvement plus haut. N'essayez pas non plus de ruser en réclamant cette mallette pour Noël, c'est peine perdue, je tue l'espoir dans l'œuf, car la mallette ne peut se fabriquer qu'à partir de soi-même, avec les matériaux extraits à coups de pioche de son âme, et par là même nous manipulons du doigt le thème central qu'est la philosophie et qu'est-ce que l'âme et d'où viennent les idées et la mallette, et nous y reviendrons, mais ne me bouscule pas mon garçon, maman ne peut pas tout faire à la fois et être au four et au moulin.

Afin de vous guider dans l'élaboration de votre mallette antipression, je vous en indique à grandes lignes les vingt outils principaux, par ordre croissant de difficulté: égoïsme, narcissisme, paresse, disponibilité, éparpillement, légèreté, confiance en soi, indépendance, autonomie, solitude compacte, acquisition du sens du terme «liberté» (à l'entrée «liberté», dans n'importe quel dictionnaire), négligence, patience, insouciance, désinvolture, indifférence, respect de l'autre, oubli, apathie et détachement.

Je vois à vos mines défaites que le contenu de cette mallette, qui doit être pourtant pour vous comme une fée sa marraine, vous fiche un sacré coup au moral car elle ne recèle que des termes négatifs et salement connotés, à trois-quatre près. Mais si vous pensez de la sorte, c'est que vous avez complètement oublié la leçon n° 1 sur le concept dit «du ver de terre». J'en suis peinée et me vois dans la pénible obligation de vous renvoyer à la lecture attentive de ce traité sur lequel vous avez passé un peu vite, croyant à tort que je baguenaudais, allant de-ci de-là de concept absurde en bêtise. Vous réalisez aujourd'hui votre erreur un peu tard. Mais je veux bien être bon prince et vous redire, mais c'est la dernière fois, que les apparences des choses ne sont jamais les choses. Si bien que l'allure péjorative de ces termes et l'aspect globalement repoussant du contenu de la bonne mallette, à l'instar de celui du ver de terre, ne sont qu'illusion. À l'instar du ver de terre qui, fouissant et refouissant l'humus sous son apparence répugnante, aère la terre et permet à lui tout seul à toute vie d'éclore et de pousser dru, de même ces termes rébarbatifs (qui sont des outils de fouissage) permettent d'aérer le champ sentimental et à l'amour de pousser dru et de déposer chaque saison dans vos mains reconnaissantes la riche moisson de vos efforts.

Quand je dis «effort», c'est un mot et je crie aussitôt «Halte-là, malheureux!» Si l'*effort*, considérable, vous sera nécessaire pour confectionner patiemment le contenu de votre mallette de survie, il doit à tout prix disparaître sitôt que lesdits outils seront prêts à l'usage. Car un outil, quel qu'il soit, manié avec effort, manque sa cible. Il ne s'agit en aucun cas de *s'efforcer* à l'éparpillement, à la négligence, à la désinvolture ou à la solitude compacte. Cela rate immanquablement comme le maçon inexpérimenté rate son pignon ouest, faute de pratique et de foi. Il faut *être* maçon et non pas feindre le maçon, on a déjà parlé de cet aspect du mime s'agissant du bus, j'espère donc que vous me suivez avec une attention accrue et que vous avez compris que je ne suis en aucun cas en train de baguenauder dans la toundra. Non, j'ai autre chose à foutre, croyez-moi. Avec cette question d'*être* ou *ne pas être*, assortie de celle pernicieuse de l'*être* et du *paraître,* nous fouissons du doigt notre thème crucial de la philosophie en même temps que de la poésie, dont je vous parlerai si on cesse de me bousculer de toutes parts. Je sais mon garçon que, en dépit de ton génie propre qui est vaste et de ta grande beauté, tu n'es pas sans connaître la fébrilité et la lassitude rapide de la jeunesse, et tu trouves que maman lambine exagérément, mais comprends bien que maman ne peut pas être partout, qu'elle est obligée de veiller à la charpente, à la cohésion, de même qu'au cheval de labour et au bœuf qui est venu se foutre là-dedans, de même qu'à la charrette de fumier et à la moisse-batte et à Dieu et à l'orang-outang, de même qu'à ton éducation et à savoir si tu as bien assimilé la forme passive du verbe *audio*, sans oublier le pignon ouest et est et le mur nord de la maison familiale, ni les réserves de lait dans le placard et le rangement de la salle de bains envahie par les fourmis de printemps (faites-moi songer à vous en toucher un mot, ce serait charitable de votre part), ni ma sœur ni mon frère ni ma mère qui a éteint son portable, ni mes neveux, ni le message qui m'attend sans doute, sans compter le boulot qui s'accumule pendant ce temps-là, alors comprends mon grand que maman fait ce qu'elle peut et qu'il ne faut pas la bousculer exagérément. Ce n'est pas parce que son tempérament hors du commun et doté d'un génie propre lui permet de maîtriser sans l'aide du moindre insu cette somme gigantesque des mystères de la vie qu'il faut que tu croies que c'est si facile. C'est facile, mais à la condition qu'on ne me bouscule pas trop, et je sais que tu me comprends. Tu me fais perdre mon fil, et quand je dis ça, c'est une blague, bien sûr. Je ne perds jamais mon fil, vous pouvez compter là-dessus comme sur vous-même.

J'ajoute que le contenu de la mallette qui percute en droite ligne le concept «du ver de terre» est également en soi, si vous en examinez un à un tous les ustensiles, un modèle d'*économie d'énergie vitale* et avec cela, vous partez gagnant. Veillez à ce qu'il n'en manque pas des bouts, ceci dit, et je suis très ferme là-dessus: la mallette n'est efficace que *complète*. Si vous acquérez l'outil de «désinvolture» sans avoir acquis celui du «respect d'autrui», vous allez droit dans le mur car personne ne vous aimera, ce sera justice. De même si vous avez concocté l'outil d'«égoïsme» (le plus facile, le bas de gamme) sans avoir capté la notion de «liberté d'autrui», vous courez à une catastrophe du même type. Je vous mets donc sérieusement en garde: une mallette anti-pression mal conçue et bouclée à la va comme je te pousse ne vous apportera que des désagréments, ne me dites pas que je ne vous aurai pas avertis.

Ainsi équipé(e) de votre mallette *complète* et *décrassée* de toute la sueur des efforts qu'elle vous aura coûtés, vous partez enfin d'un bon pied et l'amour peut vous tomber entre les bras au prix de cet immense travail que vous aurez accompli, travail qui, par le même coup, pourrait éviter bien des guerres grâce au concept d'«autrui» qu'elle contient. Vous voyez qu'il s'agit donc d'une mallette *polyvalente*, utile à bien des titres, sentimental, guerrier et même philosophique (prise de conscience de l'être et du paraître). Et vous constatez donc que je ne vous ai pas fourgué de la merde à quatre sous et que l'on est en train de boucler sérieusement notre affaire et sur tous les terrains.

S'agissant de l'amour, et dans la situation fâcheuse où vous vous étiez mis dans votre méconnaissance des mystères de la vie et de la mécanique des corps semi-fluides, l'usage de ces outils viendra contrer efficacement les bourdes antérieurement commises, à la manière dont l'éponge absorbe l'eau renversée. L'usage de la «négligence» viendra éponger la «supplique», la pratique de la «solitude compacte» étanchera les dégâts des «sollicitations», celle de la désinvolture atténuera le grabuge engendré par les appels téléphoniques excessifs, et ainsi de suite, vous me suivez, vous n'êtes pas des imbéciles. En matière de répétition et de cadence, de la méfiance cependant: un égoïsme mille fois répété, une indifférence cent fois affichée peuvent à la longue vous faire perdre tout crédit. Restez aimable. Comme en toute chose sachez doser et, avec un peu de pratique, vous serez bien campé sur votre affaire, dans votre solitude compacte.

S'agissant des extrêmes, je rappelle que même l'usage du plus parfait détachement ne pourra vous sauver de l'ultimatum que vous aurez lancé dans un moment d'égarement. Mais comme vous serez dans ce détachement, vous vous en foutrez éperdument, ce qui ne vous causera nulle souffrance, or l'abolition de la souffrance est tout de même l'objectif central de cet opus.

En d'autres situations, l'usage *continu* du détachement (qui peut être alternatif ou constant, c'est un choix de vie) vous amènera sans nul doute à être follement aimé, car telle est la nature humaine qu'elle aime s'attaquer à l'impossible, mais vous vous en foutrez également et vous ferez alors du surdosage, ce dont on a déjà traité. Sachez que le surdosage, qui vous prive de l'accès à vos propres sentiments, n'est pas très récréatif tant vous ne savez même plus si vous êtes capable d'aimer, ce qui n'est pas sans risquer de vous inquiéter quelque peu, à l'occasion. Mais quoi qu'il en soit, le malaise du surdosage n'est en rien comparable à celui du dénuement qui pousse d'aucuns aux excès hystériques qu'on a vus, dont le chantage et l'ultimatum. À ces derniers niveaux de crise, on peut affirmer que la personne ne s'appartient plus et que, selon le vieil Anglais à qui j'emprunte cet adage, *Le moulin moud sa propre pierre*. Ce qui fait peine car se moudre soi-même est une source de souffrance sur laquelle je ne blague pas. Alors que la personne détachée en surdosage s'appartient totalement, quand bien même elle ne sait plus trop qui elle est, car la vie est ainsi faite qu'elle donne d'un côté ce qu'elle prend de l'autre. Néanmoins, on voit à ces exemples puisés aux franges extrêmes que la possession de la mallette anti-pression est infiniment plus faste que celle de la mallette à pression. Car, en poussant les choses au pire, si la première peut vous amener au néant par anesthésie de vos sentiments, la seconde peut vous amener au néant par érosion complète de votre esprit. Il y a donc néant et néant et le premier est de loin préférable au second. On voit là que l'on percute de plein fouet une question essentielle de philosophie, à savoir qu'il existe deux néants de l'être, l'un fait de plein, l'autre fait de vide. N'hésitez en aucune manière, optez pour le premier.

Je ne voudrais pas achever cette dissertation sur le thème central de cet opus, et particulièrement s'agissant de l'amour dont nous attendons beaucoup, sur cette seule notion de néants car je ne souhaite pas vous plonger dans l'affliction. Sachez donc que dûment équipé comme je l'ai indiqué et nanti des préceptes que je vous ai fournis, sans oublier jamais de garder votre œil vissé dessus, il existe un espoir bien réel de mener une vie sentimentale enrichissante et amusante, à la condition toutefois de ne pas courir aux extrêmes et de ne pas se bousculer. Certes il vous faudra avoir mémorisé à fond chaque page de ce recueil (ne vous lancez pas dans la pratique avant d'en être assuré), puis agir avec une finesse singulière dotée d'un génie propre, mais je vous fais confiance les yeux fermés, vous n'êtes pas des imprudents. Je dis « amusante » car l'adulte n'a que trop tendance à oublier cette notion fondamentale de l'enfance, surtout s'agissant d'amour et de philosophie pour la pratique desquels elle est essentielle. Ma mère l'a bien compris qui sait se divertir sur son piton double de simples formules d'hypochlorite de sodium, mais je ne veux pas vous affoler avec mes contrariétés de famille.

Considérez qu'un enfant qui vous écrit achève toujours son épître par un *Amuse-toi bien* qui vous surprend et vous fait sourire. Et pourquoi ? Parce que cette vétille qu'est l'amusement, vous l'avez laissée filer dans le torrent d'incertitudes de l'existence. Or, de par sa nature et sa pureté d'origine, l'enfant a profondément raison, et je ne blague pas, j'ai autre chose à faire, et je te remercie mon petit gars de m'avoir remémoré cette sage notion dans ta dernière lettre. L'amusement est l'un des plus fermes moyens de combattre les doutes bouillonnants du flot de votre vie. Le rapport n'a pas l'air évident mais croyez-moi, il l'est. C'est pourquoi j'ai pris la précaution de glisser dans votre bonne mallette les deux outils nommés «éparpillement» et «légèreté», fondements mêmes de l'amusement, sans quoi votre kit universel de survie n'eut pas été complet.

Une dernière bricole sur le Sens de la vie et je vous laisse, tout à votre nouvelle quiétude. Je jette un œil sur ma boîte à messages, je n'en ai pas, ne vous faites aucun tracas, cela ne va pas m'empêcher de clore avec brio tant je survole ces petits aléas avec une aisance qui confine au néant. Écoute bien mon garçon, et vous aussi les trois cousins, les paroles décisives que j'ai à professer sur le Sens de la vie, sans quoi ce traité ne serait pas ce qu'il doit être.

Je vous torche donc vite fait quelques lignes sur ce Sens de la vie, croyez-moi ça ne va pas traîner, d'autant que je suis attendue pour dîner avec quelques amis et ma sœur jumelle. N'allez pas croire que la fréquence avec laquelle je vois ma sœur jumelle frise la névrose, nullement. Et dans ce cas particulier, tout ce que j'ai exposé plus haut sur les dégâts occasionnés par l'excès d'appels et de sollicitations ne joue pas. Rien n'use les jumeaux. Alors que la plus infime broutille effrite l'amoureux. Le sort des jumeaux est donc très enviable, s'agissant de l'amour. Ils pourraient faire tout et n'importe quoi, se lancer des ultimatums à perte de vue et tout le monde s'en foutrait. Las! On ne peut pas tomber amoureux de son jumeau, même de sexe opposé, c'est formellement interdit par la Loi, de par sa nature.

Aussi je vous offre une petite ruse finale en prime, par pure bonté, et en récompense de votre inaltérable attention: tâchez, dans le vaste panel humain qui vous est offert, de choisir comme objet d'amour *celui ou celle qui ressemble le plus possible à votre jumeau ou jumelle*, ou à celui ou celle que vous auriez pu avoir. *Petites ruses, gros résultats.* Résultats gigantesques, même, dans la stabilité comme dans le chaos. Cela vous épargnera quantité d'embarras et facilitera magistralement votre amour, faites-moi confiance aveuglément. Mais ne vous croyez pas pour autant dispensé d'emporter votre mallette anti-pression. Même avec ma jumelle, j'en use, à seule fin d'entraînement sportif. Il y a bien des soirs où, comme vous l'avez constaté, isolée dans ma solitude compacte, j'ignore dans quel sien café elle se trouve et avec quels siens amis. Avec ma propre jumelle. Même. C'est vous dire si la bonne mallette représente un élément crucial de l'équilibre de votre existence, et ce en toutes circonstances.

Le Sens de la vie, cerise sur le gâteau des mystères de la vie, déboussole l'homme depuis sa toute première origine, de par sa nature et son isolement dans le Néant. Je ne vous apprendrai rien en vous disant que la Religion (que nous avons heureusement unifiée dans cet opus) découle en droite ligne de cette panique lancinante, vous n'êtes pas des imbéciles.

Que le sens de la vie affole l'homme depuis 30000 ans, soit, je veux bien l'admettre. Mais il arrive un jour où trop, c'est trop, et où il faut tirer la sonnette d'alarme et crier « Halte-là ! » (faites-moi penser à l'occasion à vous parler sérieusement des fourmis dans la toundra, qui descendent en droite ligne du sens de la vie, vous me retireriez une sacrée épine du pied). S'agissant de cette question, et à la condition qu'on ne me bouscule pas, je n'irai pas avec le dos de la cuiller, non mon garçon, prête-moi encore une seconde de ton attention. Je dis « mon garçon » car ma sœur n'a nul besoin de cette leçon sur le sens de la vie au vu qu'elle se fabrique son kit nietzschéen dans son sien coin, ni mon frère dont la fougue entretenue en tant que fougue lui en tient lieu, ni ma mère qui, à titre de faveur exceptionnelle, connaît le sens de la vie mais n'a jamais voulu nous le dire, nous laissant dans son infinie sagesse socratique le soin de le découvrir par nous-mêmes, mais je ne veux pas vous épuiser à ce stade avec mes gros soucis de famille. Et, dans la solitude compacte de la route que je martèle de mon cheval attelé sous le joug lumineux, j'irai droit au but en vous annonçant que la vie n'a pas de sens dans le sens où vous l'entendez. C'est brutal, mais je vous avais prévenus d'entrée.

Par cette formule un peu drue, je ne veux surtout pas vous faire croire que la vie est n'importe quoi, auquel cas vous vous sentiriez autorisés à *faire n'importe quoi*, ce qui saperait les fondements mêmes de ce manuel si patiemment édifié brin par brin. La vie n'est pas n'importe quoi, loin de là, voyez ces vers de terre qui fouissent et refouissent pour faire surgir les graminées. La vie est structurée, ordonnée, charpentée et ses placards sont impeccablement rangés, à quelques bricoles près comme la guerre (des cervidés mâles ou des hommes) ou comme l'amour, très mal rangé, mais nous avons mis bon ordre à ces deux poires d'angoisse et nous voilà donc soulagés, il était grand temps.

La vie n'est donc surtout pas n'importe quoi. Mais n'y cherchez pas un sens, je tue l'espoir dans l'œuf, il n'y en a pas. Un sens dans l'idée benoîte que vous vous en faites, l'esprit tout brouillé de magazines et d'articulets qui vous ont sottement conduits sur le chemin de l'erreur. Ne vous inquiétez pas, je suis là, je rectifie. Et c'est sans hésiter que je vous dis que la vie a un sens dès l'instant où vous la vivez. Non mon petit gars, ta mère ne débite pas des platitudes sous le prétexte qu'elle ne saurait pas quoi raconter sur cette question ardue. C'est ardu, oui, mais ta mère a la réponse dans sa musette, bien accrochée à son charroi d'épaule. Une réponse qui vaut son pesant de vérité, tout à l'opposé du dogme inepte de la *réussite* et du *résultat* érigé par nos sociétés de profit dont les artistes, bien heureusement, sapent et fouissent à la base les normes et les disciplines. Non, je sais bien mon garçon que leurs critères d'évaluation du Sens (dont le glorieux amour, le prestigieux travail, le plein d'argent, l'entreprise, l'œuvre, l'exploit, la photo dans le journal, le manoir et jardin et ainsi de suite à vau-l'eau), sont foutaise et compagnie. Car le Sens de la vie ne se mesure pas comme un niveau d'eau dans un seau, et plus vous en amasseriez et plus vous auriez de sens, ce serait trop simple. Rappelez-vous bien ce seau d'eau et contournons ce piège à cons car le sens de la vie n'est en rien un cumul de performances, voilà l'erreur. Et non contents d'être ineptes, ces critères sont toxiques, oui mon petit gars, en raison du spectre de la *hiérarchie* qu'ils abritent en leur sein, toujours prêt à se dresser sur ses ergots pour semer la merde, et j'espère que tu commences à saisir que ta mère ne fait pas qu'enfiler des perles pour éluder le sujet. Car il serait vite fait de voir surgir des types à casquette, des battants armés de leurs seaux remplis d'eau, qui se figureraient avoir décroché la timbale bien mieux que d'autres et voudraient nous inculquer de force leur sens supérieur de la vie. Aussitôt je crie « Halte-là ! » Accroche-toi bien mon enfant et vous aussi les trois cousins. Ces comptes sordides de résultats, de productions, de palmes et de lauriers qui tendraient à faire croire qu'il existerait des vies chargées de sens jusqu'à ras bord, en comparaison de seaux troués et minables, qu'il existerait des vies qui mériteraient ce nom plus que d'autres, qu'il existerait des vies pleines et des vies creuses, commencent à me chauffer sérieusement les nerfs, en dépit de mon naturel placide. Je ne hausse pas le ton, je me contrôle. La fille, le gars qui a flemmardé tout au long de ses jours en bricolant deux-trois trucs à l'occasion, de par sa nature, la femme, le type qui a bossé dans l'ombre et sans gloire, de par sa nature, ont bien autant vécu que celle-celui qui n'a cessé de s'affairer, de concevoir et se multiplier, de par sa nature. Et je dispose d'une myriade de références pour vous le prouver (et quand je dis « myriade », soyez sûrs que je ne balance pas un chiffre en l'air). Aussi vois-tu ta mère, sans crainte du froid ni du danger, lancer un cri d'alarme à la face de nos sociétés mercantiles, et croyez-moi je n'ai pas envie de baguenauder. Une vie se vit, tout bonnement, et c'est là son sens même, oui mon garçon, et ne crois pas que ta mère ne sait plus que dire et que la magie de son verbe soit mise en échec, il ferait beau voir. Il en faut un peu plus qu'une interrogation élémentaire sur le sens de la vie pour me faire perdre mes moyens. Ta mère réaffirme et sans barguigner. Tout se vaut, à la condition expresse de ne pas écrabouiller la tête des autres au passage, voire de les bousiller, auquel cas cette vie-là est une vie, bien entendu, je tiens mon fil, mais une vie de merde, ce dont il n'y a pas de quoi se vanter. Hormis cela tout est équivalent et le Sens ne se jauge pas au double décimètre, je le revendique hautement sans crainte des lions ni des papillons.

Je vois à vos mines défaites que l'idée d'abandonner sur la plage votre jauge et votre seau d'eau, instruments simples auxquels vous étiez tant attachés, vous affole. Calmez-vous et méditez sur ce qui suit. Vous aussi les cousins, vous n'êtes pas dispensés d'écouter, que je sache, je demande un peu de calme, ce n'est pas le bout du monde tout de même.

Car en effet si la vie, telle l'eau dans le seau, devait avoir un sens définissable, quantifiable et mesurable, on aurait tôt fait de voir débarquer les types à casquette et si j'enfonce deux fois le clou, ce n'est pas que je perds mon fil et m'acharne sur une poutre à l'aveuglette, mais c'est qu'on ne se méfie jamais assez de ces types. Et qui vous dit que vous ne seriez pas entassés dans le vrac avec les autres, les humbles, les modestes, les sans-grade, les rêveurs, les improductifs, les glandeurs, les simples, les contemplatifs, les solitaires ? Vous à qui on ôterait sans pitié le sens de votre vie ? De quoi auriez-vous l'air avec votre verre à dents ou votre pipette devant ces forts en gueule avec leurs gigantesques seaux de flotte et leurs mitraillettes ? Je vous abandonne une minute pour aller fourgonner flegmatiquement dans ma boîte à messages.

Rien, pas de message. Que cela n'altère pas ma bonne humeur et mon sens inné de l'amusement. Je tiens mon fil. Soyez tranquillisés et soufflez donc un bon coup : le sens de la vie n'est pas un compte d'exploitation à présenter à l'inspection générale, il n'est pas quantifiable et *c'est tant mieux* ainsi. Vous pouvez balancer dans l'instant à la Seine, au Nil, dans l'Amazone ou dans la citerne de Villiers-d'Écaudart, à la suite de votre fatale mallette, tous les ouvrages, tests, magazines et notules qui cherchent à mesurer le sens de votre vie, partant de l'a priori inadmissible que la vôtre en est dépourvue. Donc jetez tout et cessez de réfléchir là-dessus, ce qui va représenter un énorme gain de temps, et respirez en paix, votre vie a un sens, puisque vous la vivez. Point barre. Non mon fils, ta mère ne conclut pas par une niaiserie ou sur une pirouette, si tu veux bien t'approcher d'un peu plus près, tu verras qu'il y a matière à réflexion là-dedans. Et je ne m'amuse pas à faire des pirouettes avec le Sens de la vie, j'ai bien autre chose à faire. Et si tu crois aisé de parler fluidement du sens de la vie, non, et même ta mère a imperceptiblement peiné, en dépit de ses exceptionnelles facultés, c'est te dire. Et je ne suis pas fâchée d'en avoir terminé avec ce truc.

Ne finissons pas sur cette note métaphysique un peu pesante. Il est temps au contraire de s'élever en un vol plané au-dessus de cet opus afin d'en contrôler la complétude et les finitions, vol plané que l'absence de message ne m'empêche en aucune façon d'accomplir avec l'insouciance, la puissance et la légèreté du faucon, tout en jetant un œil perçant par-dessus ma charpente, mais vue du haut.

Tournoyant de la sorte sur cet édifice magistralement achevé sans embardée ni confusion, je vois que rien, mais ce qui s'appelle rien, n'y a été omis, et je n'aperçois plus nul mystère, sentimental, philosophique, guerrier, religieux, artistique ou métaphysique qui saurait dorénavant vous tracasser, si ce n'est celui de ma boîte à messages qui reste en suspens, c'est entendu, mais je ne suis pas là pour vous raconter ma vie et mes soucis de famille, soyez-en persuadés. Et c'est une excellente chose car il était temps de résoudre une bonne fois pour toutes ces mystères de l'existence et de saisir le bœuf de labour par les cornes. Voilà qui est fait, dans une portée universelle et, comme vous le savez à présent, ce qui est fait n'est plus à faire. Le panorama s'en trouve heureusement dégagé et l'être humain en paix, et c'est un spectacle revigorant qui valait bien la peine qu'on y consacre une huitaine.

Nos chemins se séparent ici, à l'heure où je vais prendre quelque nourriture et détente avec la mienne jumelle puis filer cap au vent vers la paroisse embourbée que domine de leurs prairies ce fier petit clocher, qui me permit de glisser dans la ceinture de votre pantalon le traité précieux. Partez désormais tranquilles et moi aussi car, à bavarder avec vous sous mon harnais d'épaule des mille et une mallettes que sont les mystères de la vie, et fouissant le tour d'horizon, je délaissai, de par le sain principe de l'éparpillement, ces quelques menus soucis personnels qui ne sont plus à présent que fétus de paille au soleil levant, croyez-moi. Ce qui prouve la valeur de l'adage que je n'aurai de cesse de vous répéter: «Sachez parler sans vous arrêter», si ce n'est pour méditer à l'occasion s'agissant des chevaux de trait, des vers de terre, des pinceaux, des mallettes, des homards, des chaos, des seaux d'eaux, des colliers d'épaule et des types à casquette. Mais sans vous bousculer, et toi aussi mon garçon.

Achevé d'imprimer en Italie par Grafica Veneta
en avril 2013
Dépôt légal avril 2013
EAN 9782290073049
OTP L21ELLN000534N001

—

Ce texte est composé en Lemonde journal et en Akkurat

—

Conception des principes de mise en page :
mecano, Laurent Batard

—

Composition : PCA

—

ÉDITIONS J'AI LU
87, quai Panhard-et-Levassor, 75013 Paris
Diffusion France et étranger : Flammarion

586